Sommaire

D1105424

Avant-propos 5

Leçon 0 6

UNITÉ 1

Leçon 1 8

Leçon 2 10

Leçon 3 12

Leçon 4 15

Civilisation 18

Entraînement au DELF 19

Bilan actionnel 20

UNITÉ 2

Leçon 5 21

Leçon 6 23

Leçon 7 25

Leçon 8 28

Civilisation 30

Entraînement au DELF 31

Bilan actionnel 32

UNITÉ 3

Leçon 9 33

Leçon 10 35

Leçon 11 38

Leçon 12 40

Civilisation 42

Entraînement au DELF 44

Bilan actionnel 45

UNITÉ 4

Leçon 13 46

Leçon 14 49

Leçon 15 51

Leçon 16 54

Civilisation 56

Entraînement au DELF 57

Bilan actionnel 58

UNITÉ 5

Leçon 17 59

Leçon 18 61

Leçon 19 63

Leçon 20 66

Civilisation 69

Entraînement au DELF 70

Bilan actionnel 71

UNITÉ 6

Leçon 21 72

Leçon 22 74

Leçon 23 77

Leçon 24 79

Civilisation 81

Entraînement au DELF 82

Bilan actionnel 83

Tests d'évaluation 84

Corrigés des tests d'évaluation 96

A1

Zénith
Méthode de français

Guide pédagogique

SYLVIE POISSON-QUINTON - ÉVELYNE SIRÉJOLS - SANDRINE CHEIN

1

CLE
INTERNATIONAL

Achevé d'imprimer en octobre 2012
sur les presses de la Nouvelle Imprimerie Laballery 58500 Clamecy
Dépôt légal : novembre 2012
N° de Projet : 10184387
Numéro d'impression : 210169

Imprimé en France

La Nouvelle Imprimerie Laballery est titulaire de la marque Imprim'Vert®

Direction de la production éditoriale : Béatrice Rego

Marketing : Thierry Lucas

Couverture : Miz'enpage / Lucia Jaima

Édition : Catherine Jardin

Mise en pages : Domino

© CLE International/SEJER, 2012.

ISBN : 978-2-09-038610-3

Avant-propos

Ce guide pédagogique propose pour chaque leçon :

1. Un rappel des objectifs communicatifs et des contenus grammaticaux, lexicaux, phonétiques.

2. Des suggestions pour établir des relations entre le titre, les photos et/ou dessins et le document oral :
- Que nous indique le titre ?
- Que faire observer dans le dessin ou la photo ?
- Comment permettre aux élèves d'anticiper ce qu'ils vont entendre ?

3. Des conseils pour travailler les dialogues :
- Faut-il les présenter d'abord en entier ou d'abord par séquences ?
- Combien de fois les faire écouter ?
- À quel moment procéder au travail de vérification de la compréhension orale ?
- Comment travailler chaque énoncé ?

4. Des conseils très pratiques pour travailler la phonétique, le rythme et l'intonation.

5. Des suggestions d'exercices ou d'activités complémentaires permettant au professeur d'approfondir un point de grammaire ou de vocabulaire, de varier les approches.

6. Des remarques et des mises en garde à propos des erreurs récurrentes chez la plupart des apprenants de FLE.

7. Des informations complémentaires, des mises au point ou des notes d'ordre civilisationnel pour inviter le professeur à aller un peu au-delà de ce qui est donné dans la leçon.

8. Des conseils d'utilisation pour les deux pages d'exercices « J'apprends et je m'entraîne ».

On trouvera en outre des indications pour aborder avec les élèves les pages « Civilisation » et le « Bilan actionnel » de chaque Unité.

Remarque : Les transcriptions des documents oraux dont le texte ne figure pas dans le livre de l'élève se trouvent dans le livret d'accompagnement « Livre de l'élève. Corrigés et transcriptions ».

Ce même livret contient les réponses à toutes les activités et à tous les exercices du livre de l'élève.

Leçon 0 - Bienvenue !

Face à un public de débutants complets, dynamisme et vitalité sont les clés pour cette leçon. Une dose d'énergie supplémentaire est requise de la part du professeur car ses élèves sont jetés dans « l'inconnu ». Pour ces raisons, la leçon 0 nous semble particulièrement importante. Il ne faut pas hésiter à y consacrer tout le temps nécessaire : c'est très souvent le moment où les bases de l'apprentissage se construisent, où vont se nouer non seulement des relations de confiance entre le professeur et les élèves, mais aussi entre les élèves eux-mêmes. Un public dont on a éveille la curiosité et que l'on a rassuré sur sa capacité à réaliser la tâche demandée est un public à moitié gagné.

Cette leçon 0 permet de faire le point avec les élèves sur leur motivation à apprendre le français ou, au moins, à éveiller leur intérêt, leur curiosité pour la langue. Elle a aussi pour objectif de mieux cerner les connaissances préalables qu'ont les élèves de la France, des Français, de la francophonie. Il s'agit de les amener en douceur, grâce à certains outils linguistiques et grammaticaux, à entrer dans la langue. Apprendre le français n'est pas une tâche impossible !

1. L'alphabet

• Le professeur lira à haute voix les lettres de l'alphabet : *A, B, C, D...*, la classe répétera après le professeur. On renouvellera cet exercice trois fois.

• Puis le professeur citera son prénom en se pointant du doigt et en disant, par exemple : « Je m'appelle Delphine : D-E-L-P-H-I-N-E ». On écrira au tableau ce mini dialogue en le répétant à voix haute :

– *Quel est votre prénom ?*

– *Je m'appelle Delphine.*

– *Est-ce que vous pouvez épeler ?*

– *Delphine D-E-L-P-H-I-N-E.*

• Après avoir donné cet exemple, le professeur le mettra en pratique en nommant de la même façon un ou deux élèves. On pourra commencer les leçons suivantes avec ce brise-glace alphabétique jusqu'à ce que chaque élève de la classe ait épelé son prénom.

2. Les nombres

• Les nombres de 0 à 100 sont présentés ici. L'apprentissage des nombres est progressif, c'est pourquoi, ils ne seront pas abordés en une seule fois.

• Les élèves les apprendront d'abord de 0 à 10 en classe puis ils les reverront à la maison. À la session suivante, ils apprendront les nombres de 10 à 20. Ensuite de 20 à 40, etc. Un « contrôle » informel pourra être opéré à travers les situations du livre de l'élève (avec les numéros de téléphone, les quantités, l'adresse...) ou bien au début de chaque prochaine leçon.

3 et 4. Les jours de la semaine, les mois de l'année

• Le professeur lira les jours de la semaine à la suite les uns des autres. Contrairement aux nombres, les jours de la semaine devront être acquis rapidement. Le professeur pourra répéter à chaque fin de cours : « À lundi ! » ou « À mardi ! ».

• Ceci sera vu en accompagnement avec les mois de l'année.

• Chaque séance, on pourra bien entendu noter la date du jour au tableau et la faire lire à voix haute.

5. Les saisons

Elles sont faciles à mémoriser.

6. Dans la classe

Les principaux objets utilisés dans la classe de langue sont ici représentés sous forme de photographies. Le professeur pourra y faire référence régulièrement.

Le professeur dit...

• Les élèves vont entendre à de très nombreuses reprises ces consignes. Il faut qu'ils en comprennent le sens dès les premières séances. Éventuellement, si l'illustration n'est pas assez claire, on la traduira.

• À ce stade, on demandera aux élèves de comprendre « en bloc » sans s'appesantir sur l'impératif ou la forme négative. Un geste ou une mimique suffisent. Le professeur mimera certains mots ou expressions (*Écoutez – Regardez – Lisez ...*)

L'élève dit...

Ce sont les phrases clés qui seront utilisées par les élèves. Elles leur permettront une communication dans la langue cible dès le début de leur apprentissage.

Mini quiz sur la langue française et la culture française

• Ce petit quiz permet au professeur d'effectuer rapidement une première évaluation des connaissances des élèves en ce qui concerne la culture française.

• On peut demander aux élèves de faire ce travail par groupes de trois. Puis, on proposera une mise en commun de leurs réponses.

• Les élèves présenteront leurs réponses avec des mots, des noms propres, sans faire de phrases... L'important est de communiquer librement, sans peur de commettre une faute.

• Grâce à la question **e.** *On parle français...?*, le professeur présentera la francophonie dans le monde. Les élèves oublient souvent qu'on parle français ailleurs qu'en France. Il est très important de leur montrer que le français est une langue parlée sur les cinq continents et qu'apprendre le français peut être un atout professionnel et ainsi ouvrir de nouveaux horizons.

Avant de faire cette activité, on leur demandera s'ils peuvent citer les pays où le français est la langue officielle et ceux où il est une langue parlée très utilisée. On insistera notamment sur les pays d'Afrique francophone et du Maghreb (Maroc, Algérie, Tunisie).

• Après avoir vu les bases de l'apprentissage du français (l'alphabet, les nombres, les jours de la semaine, etc.), les prochaines unités répondront aux objectifs suivants :

→ donner confiance aux élèves : ils vont constater que cette nouvelle langue étrangère, le français, ne leur est pas totalement étrangère, qu'ils connaissent déjà un certain nombre de mots pour les avoir rencontrés dans des livres, des journaux, sur des enseignes de magasins...

→ amener les élèves à exprimer leurs éventuelles idées reçues sur la France et sur les Français, à réfléchir sur leurs stéréotypes (« Qu'est ce que la France pour vous ? ») ;

→ les inciter à partager et à travailler en groupes : la plupart des activités proposées tout au long de la méthode sont à réaliser en tandem.

Au cours des premières leçons, on insistera particuliè-rement sur les mots « pour communiquer » : comment saluer, remercier, s'excuser... Ce sont des mots qui reviennent sans cesse dans la conversation et il est important que, dès le début de leur apprentissage, les élèves se les « mettent en bouche ». Maîtriser immé-diatement ces mots leur permet de « vivre » la langue psychologiquement, en imitant l'intonation de chacun. Ils pourront ainsi, dès la première séance, réaliser de petits jeux de rôle.

On a parfois tendance à sous-estimer l'importance de la répétition au début de l'apprentissage. C'est, à notre avis, une erreur : au cours des premières leçons, il ne faut pas hésiter à faire répéter les dialogues autant de fois que le professeur le jugera nécessaire. C'est ainsi qu'à force d'entendre du français, les élèves pourront peu à peu s'approprier le rythme et l'intona-tion des phrases de cette nouvelle langue.

Par ailleurs, on n'hésitera pas à inciter les élèves à mobiliser tout leur savoir-faire et leur « savoir obser-ver », « savoir comparer ». Le but ultime étant de faire accéder les élèves à un « savoir-être » en français. Tous ou presque ont probablement étudié l'anglais ; on insistera donc sur le fait que beaucoup de mots français sont proches des mots anglais (nous les appellerons généralement « mots transparents »). D'autres mots se retrouvent dans bon nombre de lan-gues (*un problème*, par exemple).

Leçon 1 - Salutations

Objectifs fonctionnels :
- prendre contact avec quelqu'un au téléphone, dans la rue
- établir une relation entre amis ; avec une per-sonne inconnue
- saluer, prendre congé, demander quelque chose, remercier

Objectifs grammaticaux :
- *C'est* + prénom ; *c'est* + pronom tonique (*C'est moi*)
- la phrase interrogative par intonation

Vocabulaire :
- *bonjour, au revoir*
- *merci, s'il vous plaît*
- *monsieur, madame*
- *Comment ça va ? Ça va bien.*

Phonétique/rythme/intonation :
- le découpage en syllabes
- l'intonation expressive

JE COMPRENDS ET JE COMMUNIQUE P. 16-17

Chaque dialogue sera écouté livre fermé ou dialogue caché.

Dialogue 1

• On donnera le nom des deux protagonistes : Nicolas, Émilie, puis on fera écouter le dialogue en entier.
- *Allô !* (en mimant le geste d'une personne au télé-phone)
- *Bonjour.*
- *Ça va ? Oui, ça va. / Oui, ça va bien.* (en associant étroitement la question et la réponse)
- *Et vous ?* (avec un geste vers l'interlocuteur) *Oui, très bien, merci.*
- *C'est moi. C'est vous. C'est X.*

• Livre ouvert. On fera jouer cette scène plusieurs fois (deux par deux) en la découpant par répliques :

A. - *Allô, Nicolas ? Bonjour. C'est moi, Émilie.*
- *Ah ! Bonjour !*

B. - *Ça va ?*
- *Oui, ça va bien.*

C. - *Et vous ?*
- *Très bien, merci.*

Dialogue 2

• On mettra en valeur le format du dialogue et on demandera aux élèves : *Qu'est-ce que c'est ? MSN ? Facebook ?* On pourra s'adapter au contexte culturel du pays où l'on habite pour parler des microbloggings (Weibo en Chine, Futubra en Russie).

• Puis on indiquera le nom des personnages de la pho-to (Laura/ Thomas).

• Livre fermé, on fera écouter deux fois le dialogue en entier. On insistera sur :
- *Tiens !* en exagérant l'expression de surprise.
- *Ça va ? = Comment ça va ?*

Attention ! *Ça va bien / Ça va très bien* est diffé-rent de *Ça va, ça va...* Le professeur devra exagérer l'intonation à ce moment-là et faire le geste corres-pondant pour bien indiquer le sens de *ça va, ça va...* (= *comme ci, comme ça / pas très bien*).

• Puis on fera jouer le dialogue en entier (les quatre lignes). On reprendra ensuite cette scène avec les pré-noms des élèves. Il ne faut pas hésiter à passer tout le temps nécessaire sur ces premiers échanges jusqu'à ce qu'ils soient complètement assimilés (la situation + le vocabulaire + l'intonation expressive...).

Dialogue 3

Cette troisième situation est un peu plus complexe : le dialogue est plus long et plus « situationnel ».

• On commencera par expliquer (à l'aide d'une image) le mot *baguette*.

• On fera écouter d'abord le dialogue entier (livre fermé), puis on le présentera une seconde fois en trois moments :

A. - *Bonjour, monsieur. / Bonjour, madame.*

B. - *Une baguette, s'il vous plaît. / Voilà.*

C. - *Merci. Au revoir, madame. / Au revoir, monsieur.*

La gestuelle aidera à comprendre le sens de *Voilà*.

• On fera jouer cette scène d'abord avec *une baguette* puis avec *un gâteau / un croissant* (on trouvera les dessins correspondants p. 19).

Je prononce

• À la fin de cette séance, les élèves doivent posséder les quelques mots ou expressions vus dans la leçon et être capables de les répéter correctement

• Dans cette activité, les élèves sont confrontés dès l'abord à une consonne particulièrement difficile, le [r]. On ne peut pas l'éviter, les mots *bonjour*, *au revoir* et *merci* étant essentiels dans une première leçon. C'est un point de phonétique sur lequel on reviendra à plusieurs reprises.

• On insistera dans cette première leçon plus particulièrement sur le rythme et sur l'accent tonique, en faisant répéter plusieurs fois : *Merci - Merci, madame - Au revoir - Au revoir, monsieur - Ça va - Ça va bien - Ça va très bien - Ça va très bien, merci.*

• On peut demander aux élèves de travailler en tandem : le premier dit la première phrase *(Merci)*, le second enchaîne en l'amplifiant *(Merci, madame* ou *Merci, monsieur).*

Écouter

a. b. Il s'agit d'une première approche, très simple, du passage de la phonie à la graphie.

Les élèves entendent un très court énoncé extrait du dialogue. Ils doivent identifier la phrase écrite correspondante.

Ces exercices ne devraient pas présenter de difficulté.

Comprendre

On demandera aux élèves de compléter l'exercice à trous. Ceci permettra de travailler sur la mémorisation du dialogue 2.

Communiquer

C'est un exercice à la fois ludique et culturel. Les images parlent d'elles-mêmes et les réponses sont simples : *oui* ou *non*.

J'APPRENDS ET JE M'ENTRAÎNE P. 18-19

Grammaire

• Il ne peut être question, ici, de « grammaire » à proprement parler mais plutôt d'exercices de communication reprenant très simplement le contenu des dialogues de la leçon : *se présenter - demander comment ça va et répondre - demander quelque chose et remercier...*

• Les reprises se feront avec les prénoms des élèves de la classe. Chacun devra présenter son voisin.

• Il est possible, dès la première leçon, de faire jouer les situations aux élèves. Il est vivement conseillé de les y inciter dès le début de l'apprentissage pour qu'une habitude de classe se crée.

• Si la langue du pays dans lequel on enseigne est très éloignée du français, on pourra demander aux élèves de se choisir un prénom français dès la première séance, ce qui leur permettra de « se mettre dans la peau d'un(e) Français(e) ».

Exercices et activités

1. *Allô* → il s'agit d'une communication au téléphone. *Croissant* → il s'agit d'un achat dans une boulangerie. *Bonjour* → nous sommes dans la rue.

2. Faire faire ce travail deux par deux. On pourra leur donner la première phrase qui amorce le dialogue.

3. On demandera aux élèves de se reporter au dialogue de la leçon p. 16.

4. On peut proposer deux ou trois situations autres en introduisant des mots « transparents » :
- *un café / deux clients / un serveur* → on introduira *un café* ou *un Coca Cola* ;
- *une cafétéria, un snack* → on introduira *un sandwich* ou *une pizza*.

L'essentiel étant de pouvoir établir une communication minimum : dire bonjour, demander quelque chose, donner quelque chose, remercier, dire au revoir.

Leçon 2 – Moi, je suis français

Dans cette leçon, on continue à mettre l'accent sur les mots essentiels à la communication courante. Les élèves connaissent : *bonjour, au revoir, merci.* Ils apprendront ici à s'excuser et à répondre à une excuse (*Pardon ! Excusez-moi !* → *Je vous en prie*).

Objectifs fonctionnels :
- se présenter, saluer
- dire qui l'on est, quelle est sa nationalité, sa profession
- s'excuser

Objectifs grammaticaux :
- le verbe *être* : *je suis / vous êtes* + nationalité / + profession
- masculin/féminin (première approche)
- les pronoms toniques (1) : *moi / vous*

Vocabulaire :
- les noms de nationalité
- quelques noms de métiers
- *Pardon !*

Phonétique/rythme/intonation :
- le féminin de certains adjectifs en [z] : *français / française*
- intonation expressive : *Oh, pardon ! Oh, excusez-moi !*
- rythme : la mise en valeur du pronom tonique : *Moi, je suis français*

JE COMPRENDS ET JE COMMUNIQUE P. 20-21

Dialogue 1

• On fera commenter l'image. *Que voyez vous ?* → Une carte du monde. On pourrait lire le nom de chaque pays et le pointer sur la carte.

• On s'attardera sur la photo des personnages. – *Est-ce que c'est un homme ? – Est-ce que c'est une femme ?*

• Le dialogue peut sembler difficile, mais il reprend les structures : *je m'appelle* + nom / *je suis* + nationalité / *je suis* + profession.

• *Université de Lyon II – 2-4 mars – Colloque Éducation et nouvelles technologies (Professeur Jacques Blanc)*

→ On commencera par définir la situation de communication. Les mots *université, éducation, technologie* sont vraisemblablement transparents. Nous sommes dans un colloque (international) ; il y a plusieurs participants. L'organisateur se présente le premier, les autres personnes se présentent l'une après l'autre.

• On fera d'abord écouter deux fois (trois si nécessaire) l'ensemble du dialogue en répétant le nom de celui qui parle, au fur et à mesure.

• Puis on essaiera de proposer l'exercice **Écouter** en faisant écouter séparément les paroles de chacun des participants. Les élèves doivent répondre aux questions par « Vrai » ou « Faux ».

Vocabulaire

• Le verbe *s'appeler* est difficile. On n'abordera évidemment pas, à ce niveau, la question des verbes pronominaux. On se contentera de faire apprendre « en bloc » : *je m'appelle* + nom / prénom / prénom et nom. Se pose ici la question de l'ordre d'apparition. On expliquera qu'en français le prénom se place avant le nom : Anne Mérieux, Nelson Mandela, Barack Obama...

• Trois noms de métier sont proposés, tous transparents : *professeur, informaticien, journaliste.*

• Cinq noms de nationalités sont proposés : *français(e) – japonais(e) – sénégalais(e) – turc (turque) – suisse.*

Deux difficultés pour les élèves :

– la confusion entre le nom du pays et le nom de la nationalité (**Je suis France*) ;

– l'oubli de l'accord en genre (masculin/féminin). On reviendra plus loin (et à plusieurs reprises) sur la question masculin/féminin, très difficile en français.

Comprendre

• Maintenant que les élèves ont compris les informations données dans le dialogue, ils pourront retrouver les mots manquants. Grâce au format de la carte de visite, l'exercice ne devrait pas présenter de difficultés.

Communiquer

• Chaque élève essaiera de se présenter. Les élèves demanderont probablement au professeur de traduire des mots. L'usage du dictionnaire sera possible.

• Cet exercice est un moment important puisque l'élève pourra se présenter pour la première fois en français.

Écrire

• Cette activité permet de consolider et de mettre en pratique ce qui a été vu préalablement.

• À l'écrit, chacun travaillera sur sa propre carte de visite.

Je prononce

• On veillera à ce que le [z] final s'entende bien au féminin : *français, française - japonais, japonaise - sénégalais, sénégalaise.*

• **Intonation :** le professeur pourra éventuellement reprendre en situation cet échange, en exagérant un peu l'intonation et en mimant. *Oh, pardon ! - Excusez-moi ! - Je vous en prie.*

J'APPRENDS ET JE M'ENTRAÎNE P. 22-23

Grammaire

• On travaillera la conjugaison du verbe *être* :
- *vous êtes / je suis* + nationalité
- *vous êtes / je suis* + profession

Attention ! On fera très attention à l'erreur très fréquente : **Je suis un informaticien – *Je suis une Japonaise.* On y reviendra plus loin en insistant sur la différence entre : **C'est un** *Japonais, c'est un étudiant* et **Il est** *japonais, il est étudiant.*

Exercices et activités

1. Il s'agit de relier un verbe à l'infinitif à sa forme conjuguée (on expliquera que l'infinitif est comme le « nom de famille » du verbe, celui que l'on trouvera dans le dictionnaire). Les élèves prendront conscience que les deux formes peuvent être complètement différentes (exemple : *être → je suis*).

2. L'exercice est un peu difficile. Il n'y a pas de problème pour **b.** *japonaise/informaticienne* ou **e.** *sénégalais* mais *turc* et *turque* se prononcent de la même façon. On signalera que Dominique est un prénom masculin ou féminin et qu'ici seul l'adjectif permet de savoir s'il s'agit d'un homme ou d'une femme. On pourra expliquer aussi que certains prénoms français masculins ou féminins sont identiques à l'oral et à l'écrit (ex. : Dominique, Stéphane, Claude...), et que d'autres sont identiques à l'oral mais s'écrivent différemment (ex. : Michel / Michèle – Emmanuel / Emmanuelle – Gaël / Gaëlle...).

3. Attention à l'adjectif *suisse,* qui peut être masculin ou féminin. On pourra citer deux autres exemples : *belge* et *russe*.

4. Il s'agit de faire correspondre un énoncé à l'image représentative d'une ville.

5. L'objectif est, comme dans la leçon 0, de montrer aux élèves qu'une langue n'est jamais aussi opaque qu'ils le pensent et que, souvent sans en avoir conscience, ils connaissent déjà du vocabulaire.

6. Ce jeu de rôle permettra de retravailler les points ci-dessus. À ce niveau, il est recommandé de s'éloigner le moins possible des dialogues de départ. En effet, les élèves auront à faire un très gros effort de mémoire et de conceptualisation pour assimiler le contenu de cette leçon, qui peut sembler simple mais présente de nombreuses difficultés.

On peut reprendre dans une autre série de jeux de rôle (dans la rue, dans le métro, dans un bureau...) le contenu des deux premières leçons.

Les élèves doivent pouvoir à ce stade :
- dire bonjour ;
- demander comment ça va / répondre ;
- dire comment ils s'appellent ;
- poser une question sur la nationalité, sur la profession de quelqu'un (et répondre à ces questions) ;
- dire où ils travaillent ;
- dire au revoir.

Et éventuellement : remercier – s'excuser / dire que ce n'est pas grave (*Je vous en prie*), ce qui leur permet d'avoir une conversation en français quasi authentique.

Leçon 3 – Toi aussi, tu connais Marion Cotillard ?

Dans cette leçon, on continuera à mettre l'accent sur les mots essentiels à la communication courante : les élèves ont vu comment dire bonjour, au revoir, merci, et comment s'excuser. Ils apprendront ici à s'adresser à quelqu'un pour lui demander quelque chose (autre sens de *Pardon* dans le sens *Excusez-moi de vous interrompre, excusez-moi de vous déranger...*).

Objectifs fonctionnels :
- poser une question à quelqu'un sur son identité, le lieu où il habite
- répondre à ces questions

Objectifs grammaticaux :
- la différence *vous/tu* avec les verbes *être, connaître, habiter à, parler...* (*je + tu + vous*)
- *C'est* + adjectif masculin singulier
- les pronoms toniques (rappel) : *moi / vous*
- le genre des adjectifs : masculin, féminin (2)

Vocabulaire :
- *parler une langue*
- *habiter à*

Phonétique/rythme/intonation :
- les liaisons avec les pronoms sujets (1) : *vous êtes*
- *vous habitez...*
- intonation expressive : *Pardon ?* (pour demander poliment quelque chose)
- rythme : amplification de phrase + pause

JE COMPRENDS ET JE COMMUNIQUE P. 24-25

Dialogue 1

• En phase d'introduction au dialogue 1, on fera observer les trois images, et on demandera aux élèves s'ils connaissent l'actrice (Marion Cotillard) ou la chanteuse (Édith Piaf). On pourra faire écouter la chanson *La vie en rose* ou bien *Milord* et/ou faire visionner la bande annonce du film d'Olivier Dahan *La vie en rose*, avec Marion Cotillard.

• On fera écouter deux fois le court dialogue.

• On expliquera avec un geste le sens de *Pardon* (pour interrompre et demander poliment quelque chose) qui est différent du *Pardon !* (souvent *Oh, pardon !*) vu précédemment, qui était un terme d'excuse. Deux ou trois petites mises en scène permettront de distinguer les deux usages du mot.

• *– Vous êtes Marion Cotillard , n'est-ce pas ?*

– Oui. C'est moi.

On expliquera que l'on utilise l'expression **n'est-ce pas ?** pour vérifier quelque chose dont on est à peu près certain ; on attend la réponse *Oui*.

Ex. : *Vous avez deux frères, n'est-ce pas ? / Il est quatre heures, n'est-ce pas ?*

• On peut revenir sur *Vous connaissez... ?* avec quelques rapides questions sur des personnages ou des célébrités que les élèves connaissent.

Comprendre

• Pour consolider ce dialogue, on fera compléter cet exercice à trous p. 25.

• Une fois complété, on pourra demander aux élèves de le mémoriser.

• Soit on poursuivra avec **Communiquer**, soit on passera directement au dialogue 2.

Dialogue 2

• Comme ce sera le cas par la suite, le second dialogue est plus long que le premier – celui-ci jouant le rôle d'amorce et présentant une partie des contenus à travailler dans la leçon.

• On exposera la situation de communication : trois personnes d'une vingtaine d'années (deux jeunes filles et un garçon).

• On aborde ici la question du *vous* et du *tu*. On expliquera que lorsque les personnes sont jeunes (comme ici, des étudiants), on emploie le plus souvent *tu*. Lorsqu'on ne connaît pas l'interlocuteur, s'il est plus âgé ou d'un statut social supérieur (comme son chef), on utilise plus volontiers le *vous*. Le *vous* est formel tandis que le *tu* est informel.

• On fera écouter deux fois l'ensemble du dialogue, puis on reprendra par échanges de répliques.

A. *– Salut ! Moi, c'est Paul ! Et toi ?*
– Yukiko.

• Le garçon ne dit pas *Bonjour !* mais *Salut !* On expliquera la différence entre ces deux formes de salutation, *Salut !* étant plus informel. On reprendra en exemple la situation de la boulangerie (leçon 1) ou celle du premier dialogue de la leçon 2 (avec une professeur d'université) dans lesquelles on dira *Bonjour* et non *Salut*.

B. *– C'est joli, Yukiko ! Japonaise ?*
– Oui. Et toi ?
– Je suis français.

• Les élèves connaissent déjà *être* + nationalité. Yukiko est un prénom assez fréquent au Japon, il n'est donc pas très étonnant qu'il devine la nationalité de la jeune fille.

• Les élèves connaissent déjà deux des pronoms toniques : *moi* (*C'est moi* – *Moi, je...*) et *vous* (*Et vous ?*). L'introduction de *toi* dans la même situation (*Et toi ? – Et toi aussi... ?*) ne devrait pas présenter de difficulté.

• Le seul point à travailler dans cet échange est donc : C'est + adjectif : C'est joli ! Un geste permettra d'expliquer que c'est un compliment. On peut demander aux élèves leur avis : C'est joli, Yukiko ? Et Émilie, c'est joli ? Et Anne, c'est joli ? Ils peuvent citer les prénoms féminins ou masculins qu'ils aiment bien.

C. - Et toi aussi, tu es japonaise ?
- Non, pas du tout ! Moi, je suis américaine. Je m'appelle Jenny.

• Un geste permettra d'expliquer l'expression Pas du tout !

• Les élèves ne comprendront pas très facilement, sans doute, l'erreur du jeune homme : on expliquera que les filles sont toutes les deux de type asiatique, mais cela ne veut pas dire que ce sont des compatriotes. L'une est japonaise, l'autre américaine. Elles sont amies.

D. - Ah bon ! Tu parles très bien français ! Tu habites ici ?
- Oui, oui, j'habite à Paris.

• On exploitera rapidement « parler + une langue » en demandant aux élèves quelles langues ils pratiquent : Vous parlez anglais ? Vous parlez français ? Vous parlez italien ? Les réponses attendues sont : Oui / Oui, un peu (+ geste) / Non / Non, pas du tout (+ geste).

> Remarque : On entend parfois habiter Paris, habiter Nice sans la préposition à. Nous pensons qu'il est préférable d'habituer les élèves à l'utiliser : cela leur donnera de bons réflexes lorsqu'on abordera les prépositions avec les noms de pays : J'habite en France, au Japon, aux États-Unis, à Madagascar...

• On terminera l'exploitation du dialogue qui n'est pas très difficile puisque les élèves ont déjà vu le verbe travailler et la structure C'est + adjectif. Les mots restaurant et intéressant sont des mots transparents pour les anglophones. Pour ce dernier, l'intonation permet de mieux cerner le sens : avoir un copain qui travaille dans un restaurant, c'est vraiment intéressant !

Écouter

Pour cette leçon 3, on demandera aux élèves une écoute plus active que dans les leçons précédentes car ils devront se concentrer sur les deux personnages du dialogue, Jenny et Paul.

Je prononce

• Les liaisons

La question des liaisons est difficile en français. Rappelons qu'il y a trois cas possibles :

a. les liaisons obligatoires :
- après les pronoms personnels (on, nous, vous, ils, elles) ;
- après les articles (les, des ou l'article contracté aux) ;
- après les adjectifs possessifs (mon, ton, son, mes, tes, ses, nos, vos, leurs) ou démonstratifs (cet, ces) ;

- après des quantitatifs (quelques, plusieurs, nombreux...) et des chiffres (un, deux, trois, six, dix) ;
- après des prépositions : en, chez...

b. les liaisons interdites :
- après un nom (les enfants / aiment le chocolat) ;
- après un nom suivi d'un adjectif (des films / intéressants) ;
- avant un h aspiré (des / haricots, les / Halles) ;
- après et (Émilie et / Anna)

c. les liaisons facultatives :

Comme leur nom l'indique... on a le choix. Plus la langue est soutenue, plus on fait les liaisons. Il faut remarquer qu'en français familier, on a tendance à en faire de moins en moins.

• **L'exercice de rythme** reprend celui de la leçon précédente.

Écrire

• Ces mots croisés permettent de réviser les mots de vocabulaire.

• Ce travail peut être fait en classe ou à la maison.

J'APPRENDS ET JE M'ENTRAÎNE P. 26-27

Grammaire

• La **conjugaison** est l'une des grandes difficultés du français, en particulier pour des apprenants dont la langue maternelle a des verbes à morphologie plus stable.

Quelques exemples pris parmi les premiers verbes à étudier sont irréguliers :

être	avoir	faire	aller
je suis	j'ai	je fais	je vais
tu es	tu as	tu fais	tu vas
il/elle est	il/elle a	il/elle fait	il/elle va
nous sommes	nous avons	nous faisons	nous allons
vous êtes	vous avez	vous faites	vous allez
ils/elles sont	ils/elles ont	ils/elles font	ils/elles vont

• Il faut avancer pas à pas et introduire les verbes de manière très progressive. Il faudra expliquer aux élèves qu'il existe trois catégories (trois « groupes ») de verbes :
- les verbes en -er (« premier groupe ») qui sont à peu près réguliers, sauf aller ;
- certains verbes en -ir (pas tous : seulement ceux du type finir, réussir ou choisir qui ne sont pas très nombreux) : « deuxième groupe » ;
- tous les autres verbes appartiennent au « troisième groupe », qui comprend ainsi des verbes en -ir (venir, courir), en -ire (lire, écrire), en -oir (voir, vouloir, pouvoir),

en -dre (*comprendre, attendre*), -tre (*connaître, mettre*), etc.

Pour tous ces verbes, on renverra les élèves aux Tableaux de conjugaison en fin de manuel.

• On leur fera remarquer que :

– *vous* → terminaison en -ez (*vous connaissez / vous habitez / vous travaillez / vous parlez...*), sauf quelques exceptions, peu nombreuses : *vous êtes, vous faites, vous dites...* ;

– *tu* → terminaison en -s (*tu connais / tu habites / tu travailles / tu parles...*), avec aussi quelques exceptions : *tu peux, tu veux...*

> Remarque : on abordera plus tard (leçon 6) : *nous* → terminaison en -ons (*nous allons / nous habitons / nous travaillons...*), avec une exception : *nous sommes*.

• Attention au verbe *travailler* : à l'oral, le nom *travail* et certaines formes du verbe conjugué (*je travaille, on/il/elle travaille ; tu travailles ; ils/elles travaillent*) se prononcent de la même façon [**travaj**]. Ce qui pose le problème, très difficile, des lettres « muettes ».

Noms et adjectifs masculins ; noms et adjectifs féminins

Il faudra expliquer aux élèves qu'il existe plusieurs cas.

a. Certains sont semblables à l'oral et à l'écrit. Ex. : *un journaliste / une journaliste – il est belge / elle est belge.*

b. Certains sont semblables à l'oral et différents à l'écrit. Ex. : *un Espagnol / une Espagnole – il est turc / elle est turque.*

c. Certains sont différents à l'oral et à l'écrit. Ex. : *un informaticien / une informaticienne – un Coréen / une Coréenne – il est étudiant / elle est étudiante.*

Ce dernier cas est le plus fréquent.

Exercices et activités

1. Cet exercice concerne la distinction masculin / féminin. On précisera qu'il ne s'agit pas de la personne qui parle mais de la personne de qui l'on parle. Il faut attirer l'attention des élèves sur *il/elle* et sur la finale des adjectifs. C'est plus difficile bien sûr lorsque rien n'indique de qui l'on parle (phrases **b.** et **h.**).

2. Le but de cet exercice est de trouver la nationalité des personnages en se fondant sur leur lieu de résidence. On pourra bien sûr mentionner qu'il est possible d'être allemand et de travailler à Lyon.

3. La majuscule permet de repérer où commence la phrase. On indiquera aussi que la structure de base de la phrase française est : sujet + verbe + ...

4. On attirera l'attention des élèves sur :
– les terminaisons des verbes : *tu* → -es / *vous* → -ez ;
– le pronom *j'* qui précède un verbe commençant par une voyelle (ex. : *j'ai, j'aime...*) ou par un *h* muet (ex. : *j'habite*).

5. Ce dialogue à écouter puis à mémoriser.

6. Ce jeu de rôle permet de récapituler tout ce que les élèves ont appris jusqu'ici :
– dire qui l'on est (son nom, sa nationalité) ;
– ce qu'on fait (sa profession ou son statut) ;
– où l'on habite ;
– où l'on travaille ;
– quelle(s) langue(s) on parle ;
– quelles personnes on connaît.

> Exemple : *Je m'appelle Laurie, je suis française. Je suis étudiante en économie et je travaille aussi dans un restaurant. J'habite à Toulouse. Je parle français, anglais, un peu japonais. Je connais Yukiko et Richard.*

Leçon 4 – Est-ce que tu es étudiant ?

Comme dans chaque leçon terminant une Unité, l'objectif est d'abord de revoir, de « re-brasser », de réemployer ce qui a été vu dans les trois leçons précédentes. Il y a donc assez peu d'apports nouveaux, que ce soit en vocabulaire ou en grammaire.

Objectifs fonctionnels :
- révision des leçons 1, 2 et 3
- poser une question à quelqu'un sur un lieu

Objectifs grammaticaux :
- *Est-ce que... ?*
- l'accord en genre nom/adjectif (suite)
- les pronoms sujets *il* et *elle*
- les pronoms toniques *lui* et *elle*

Vocabulaire :
- les noms de nationalité (suite)
- *une rue, une adresse*

Phonétique/rythme/intonation :
- une consonne finale sonore au féminin (*allemand/ allemande*)
- le rythme de la phrase
- intonation expressive : féliciter

JE COMPRENDS ET JE COMMUNIQUE P. 28-29

Voici des thèmes et des situations « authentiques » qui pourront sensiblement plaire à un public jeune et étudiant.

Dialogue 1

• À travers une situation pratique, ce dialogue permet de réviser les salutations et les nombres.

Remarque : Il est important de spécifier aux élèves que les numéros de téléphone en France ne se sont pas énumérés un à un mais deux par deux après le préfixe. On ne dit pas : « Mon numéro de téléphone est : 0-6-8-7-5-8-1-2-3-8 » mais « 0-6-87-58-12-38 »...

• On introduira la forme interrogative *Est-ce que...?* et *Désolé(e), je suis désolé(e)*, formule très fréquente en français, souvent accompagnée d'un geste des mains et d'une mimique très particulière.

C'est peut-être le moment d'indiquer aux élèves l'importance de ces formules de politesse, qui étonnent souvent par leur fréquence les étrangers lors d'un premier séjour en France, d'autant plus que, par ailleurs, ils jugent les Français souvent assez peu accueillants. Il ne s'agit pas seulement de formules mécaniques, vides de sens ; elles sont considérées comme essentielles à une bonne éducation et à un certain savoir-vivre.

• Un point nouveau - et utile - dans ce dialogue est celui du vocabulaire de l'adresse e-mail avec son *arobase* et son *point com*.

Écouter

Cet exercice peut être fait après le dialogue 1 ou après l'écoute des dialogues 1 et 2. Les réponses **b.** et **d.** ne seront alors pas les mêmes. Après l'écoute du dialogue 1, les réponses **b.** et **d.** sont « On ne sait pas ». Après l'écoute du dialogue 2, la réponse **b.** est alors « Vrai » et **d.** est « Faux ».

Comprendre

Le dialogue caché, on pourra faire cet exercice d'écoute.

Dialogue 2

La situation est assez semblable à celle du dialogue 2 de la leçon 3 - celle d'une rencontre entre des personnes qui font connaissance.

• On s'arrêtera un moment sur le titre : *Une fête Erasmus*. On expliquera aux élèves que le programme Erasmus, qui date de 1984, permet aux étudiants européens de faire une partie de leurs études (un semestre ou une année) dans un pays européen différent du leur. Ce programme européen connaît un grand succès. On peut suggérer aux élèves de visionner le film de Cédric Klapisch *L'Auberge espagnole* (2002), qui relate les aventures de quelques étudiants Erasmus à Barcelone. Si le temps le permet, on pourra aussi introduire l'acteur français Romain Duris (né en 1974) pour parfaire la connaissance cinématographique des élèves (Ex. : *Il s'appelle Romain Duris, il habite à Paris, il est acteur, il connaît Vanessa Paradis...*), les élèves ayant déjà rencontré l'actrice Marion Cotillard dans la leçon 3.

• On présupposera que la fête se déroule à Nice, en France (voir la photographie d'une rue de Nice p. 30). C'est pourquoi, bien qu'ils soient tous d´origine étrangère, les personnages du dialogue utilisent le français comme langue de communication.

• On fera écouter deux fois le dialogue en entier, puis on le retravaillera par séquences.

A. Thomas / Ana : du début jusqu'à *Je m'appelle Ana...*

B. Thomas / Ana : de *Lui, il s'appelle Karim.* jusqu'à *Elle est anglaise*.

C. Thomas / Jessie (fin du dialogue).

• Comme dans la leçon précédente, les jeunes s'abordent avec *Salut* plutôt que *Bonjour*. On rappellera que cette expression ne peut pas s'employer avec des inconnus sauf si tous les protagonistes sont jeunes.

• L'autre nouveauté de cette leçon est la troisième personne du singulier : les pronoms sujets *il* et *elle* et les pronoms toniques *lui* et *elle*. Ici peut se poser une difficulté. Si l'on regarde les deux séries, on a :

Pronoms sujets	Pronoms toniques (ou d'insistance)
je	moi
tu	toi
il	lui
elle	**elle**
nous	**nous**
vous	**vous**
ils	eux
elles	**elles**

Pour les élèves, il ne peut s'agir que d'une répétition : *Elle, elle est anglaise* ou *Nous, nous habitons à Nice* est étrange. On retrouve une difficulté un peu comparable avec les verbes pronominaux (ex. : *nous nous levons, vous vous dépêchez...*) D'où l'erreur fréquente : **nous s'inscrivons ; *vous se levez...*

• Le verbe *s'appeler* est difficile mais indispensable. Les élèves connaissent déjà *Je m'appelle*. Ils rencontrent ici : *il s'appelle, elle s'appelle...* Si le niveau de la classe le permet, on peut introduire : *Vous vous appelez comment ?* ou *Comment vous vous appelez ?* (mais on laissera de côté pour l'instant l'interrogation par inversion : *Comment vous appelez-vous ?*).

• On récapitulera ce que l'on sait des personnages :
- Thomas : il est allemand, il est étudiant à Nice, il habite à Berlin, il parle très bien français.
- Ana : elle est espagnole, elle est étudiante à Nice.
- Jessie : elle est anglaise, elle est professeur de judo.
- De Karim, excepté son nom, on ne sait rien.

Écouter

1. Cet exercice d'écoute est assez simple.

2. On fera faire cet exercice à trous livre fermé, si possible. Si les élèves ont quelques difficultés, on les laissera rechercher les mots manquants dans le texte écrit du dialogue.

Communiquer

• C'est une mise en pratique du vocabulaire appris. En tandem, les élèves s'interrogeront mutuellement : *Quel est ton nom ? Quel est ton numéro de téléphone ? Quelle est ton adresse ?...*

Autre proposition d'activité

Maintenant que les élèves connaissent Ana lopez, on peut proposer une nouvelle situation où l'on rencontre Ana à la fête Erasmus. *Vous êtes l'ami(e) de Jessie. Vous êtes touriste et vous êtes en vacances, vous parlez un peu français. Vous vous échangez l'adresse e-mail et le numéro de téléphone.*

Écrire

• D'abord, on demandera aux élèves de remplir avec

leur prénom et leur nom, leur numéro de téléphone, leur adresse e-mail.

• On introduira leur adresse postale avec le numéro de rue, le code postal et la ville. Par exemple : *Ana Lopez habite 17 rue de Lyon 75012 Paris.*

J'APPRENDS ET JE M'ENTRAÎNE P. 30-31

Grammaire

• ***Est-ce que... ?*** est à apprendre en bloc comme une particule interrogative en début de phrase.

On relancera d'abord avec des situations liées aux dialogues :
- *Est-ce que Thomas est français ?*
- *Et Ana ? Est-ce qu'elle est espagnole ?*
- *Est-ce qu'elle parle français ? Est-ce qu'elle parle espagnol ?*

Puis on relancera avec des situations liées à la classe : *Est-ce que tu parles français ? Est-ce que vous connaissez la France ?*

> Rappel : On se contentera, à ce niveau, de deux formes interrogatives : par intonation (*Vous êtes anglaise ?*) et la forme avec *Est-ce que... ?*, même si la forme la plus correcte (mais la moins fréquente) est l'interrogation par inversion (*Êtes-vous anglaise ?*).

• L'**accord des adjectifs** est très complexe. Pour l'instant, on rappellera que parfois, la forme est la même (*il est suisse/elle est suisse*), parfois identique à l'oral mais différente à l'écrit (*il est espagnol / elle est espagnole*) et, d'autres fois encore, différente selon le genre, masculin ou fémin (*il est italien / elle est italienne – français / française – allemand / allemande...*).

Exercices et activités

1. L'écoute se fera deux fois, une fois lentement (avec des arrêts si besoin), la seconde fois plus vite. C'est la consonne finale qui donne ici le genre de l'adjectif. On attirera l'attention des élèves sur les adjectifs qui se terminent par -e et qui ont la même forme pour les deux genres, et à l'oral et à l'écrit (*suisse, belge, russe...* mais aussi, on le verra plus tard, *jeune, facile, difficile, rouge, jaune...*).

2. L'exercice porte à nouveau sur les adjectifs de nationalité. Attention à bien compter les lettres : *allemande* et *américaine* commencent et finissent par la même lettre mais *allemande* contient 9 lettres ; *américaine* 10 lettres.

3. L'exercice de remise en ordre de phrases ne présente pas de difficulté. Les énoncés ont été vus dans la leçon.

4. Attention, on s'adresse aux élèves eux-mêmes : Quelles langues connaissent-ils ? Sont-ils étudiants ou travaillent-ils ? On insistera sur le fait qu'en France, « être étudiant » ce n'est pas un métier ni une profession. D'où l'échange fréquent : – *Vous êtes étudiant ? – Non, je travaille* (= je suis salarié, j'ai un métier).

5. On suggèrera aux élèves de commencer par ce qui est le plus facile, le plus logique. Par exemple :
Vous êtes... → *Non, je suis...*
– *...suisse* → *...français*
– *...à Paris* → *Non, à Nice.*

6. On fera répéter avec l'intonation voulue ces « mots pour communiquer ».

7. Situez les villes sur la carte de France p. 159. On évoquera en quelques mots (à l'aide de photos si possible) les différentes villes dont il est question. Par exemple :
– Marseille et Nice, les deux grandes villes au bord de la Méditerranée, sont très différentes : Marseille, plus peuplée, plus populaire, plus industrielle ; Nice, plus riche, plus bourgeoise, plus touristique...
– Lyon est au confluent de deux grands fleuves, le Rhône et la Saône. C'est une très grande ville, célèbre pour ses industries, son commerce... et sa gastronomie !
– Bordeaux et Toulouse sont toutes deux dans le Sud-Ouest, toutes deux au bord de la Garonne. Bordeaux est plus majestueuse, plus monumentale ; Toulouse est plus animée, plus active.

Ce peut être l'occasion pour le professeur de parler de sa ville d'origine et de sa région.

8. En prenant comme support la carte de visite de Sylvie Caille, on demandera aux élèves de la présenter.

Unité 1 Civilisation

Pour vous, la France, c'est...

• Avant d'aborder ces deux pages, on demandera, livre fermé, aux élèves (individuellement et en LM) ce que représentent la France et les Français pour eux.

Consigne :

a. *Quand vous pensez « la France », vous pensez à quoi ? Donnez deux mots. Écrivez-les.*

b. *Quand vous pensez « les Français », vous pensez à quoi ? Donnez deux mots. Écrivez-les.*

• On mettra en commun les mots proposés par les élèves (on peut les écrire au tableau) et on comparera les réponses. Il est vraisemblable que l'on retrouvera certaines réponses identiques (Paris, la Tour Eiffel, par exemple). Ce petit travail permet de dégager les principales idées reçues véhiculées dans leur pays sur la France et sur les Français.

• Puis on ouvrira le manuel et on travaillera à partir des photos de la première page : *Que représentent-elles ?*

– la Tour Eiffel → l'emblème de la France ; le tourisme.

On demandera aux élèves s'ils connaissent un autre monument de Paris. On pourra montrer d'autres photographies (issues d'un livre ou sur Internet) : l'Arc de Triomphe, Notre-Dame de Paris ou la Pyramide du Louvre, par exemple.

– le bord de la mer à Deauville (situer la Normandie et Deauville sur la carte de France p. 159) → été ; vacances ; festival du cinéma.

On demandera aux élèves s'ils peuvent citer une autre ville française au bord de la mer (Nice ? Cannes ?). On peut en profiter pour travailler rapidement la géographie de la France, et montrer en particulier que c'est un pays « maritime », bordé notamment par la Manche, l'océan Atlantique, la mer Méditerranée.

– un jardin public à Paris → la tranquillité, ; le repos ; l'harmonie.

On pourra montrer sur un plan de Paris l'emplacement des principaux jardins publics (le Luxembourg près du Quartier latin, les Buttes-Chaumont à l'est, le parc Montsouris au sud, le parc Monceau à l'ouest...).

– un plat gastronomique → la cuisine française ; le « bien vivre ».

On demandera aux élèves si, dans leur ville, il y a un ou des restaurant(s) français. Et s'ils y ont déjà déjeuné ou dîné.

– un parfum → l'univers du luxe ; le chic.

On leur demandera de citer deux noms de parfums français.

La France, c'est une femme : Marianne

• En LM, on expliquera qu'il s'agit d'une figure allégorique de la France. Ce symbole existe depuis longtemps, environ deux siècles. Pourquoi le nom de « Marianne » ? Les explications varient mais on sait que Marianne était un prénom très fréquent au XVIIIe siècle.

• Elle est souvent montrée en buste. Elle a un double visage : on la représente parfois comme une guerrière, parfois comme une jolie femme douce et séduisante.

• Le buste de Marianne se trouve dans toutes les mairies de France, tout comme le portrait du président de la République.

• On indiquera que l'on change régulièrement de modèle pour réaliser ces statues et que l'on sollicite presque toujours des actrices connues pour poser : Brigitte Bardot, Catherine Deneuve, Laetitia Casta, par exemple.

• Choisissez votre Marianne : On demandera aux élèves pourquoi la femme choisie représente bien la France.

On peut demander aussi en quoi nos Mariannes modernes diffèrent de la statue «classique» représentée sur cette page.

• On pourra travailler rapidement sur les autres symboles de la France :

– le drapeau français (bleu-blanc-rouge) qui date des débuts de la Révolution française et voulait montrer que le roi était le roi de tous les Français : le blanc, la couleur du roi, se trouve entre le bleu et le rouge, les couleurs de Paris ;

– le coq, animal emblématique (en latin, *gallus* signifie à la fois « Gaulois » et « coq »).

On pourra citer à cette occasion l'hymne national, *la Marseillaise* et indiquer le jour de la fête nationale, le 14 juillet (en souvenir de la prise de la Bastille, le 14 juillet 1789).

Pour Rose, étudiante Erasmus, vive la France !

Attention ! il ne s'agit pas de recopier la fiche. Chaque élève doit dire qui il est.

Unité 1 Entraînement au DELF

On pourra être surpris par le grand nombre d'exercices de compréhension orale. Il nous semble que c'est surtout cette compétence qui doit être travaillée intensivement dans les premières semaines d'apprentissage.

Phonétique et intonation

1. On peut proposer une variante qui permettra de mettre un peu d'animation dans la classe. On dira : *Si l'adjectif est masculin, levez une main. S'il est féminin, levez les deux mains.*

2. Parler d'intonation « montante » pour décrire l'intonation interrogative est un peu simplificateur.

Avant de faire faire l'exercice, le professeur peut prendre deux énoncés simples :
– *Ça va. / Ça va ? / Ça va !*
– *C'est Tom. / C'est Tom ? / C'est Tom !*

et les prononcer de trois manières (assertive, interrogative, exclamative) en accentuant les différences. Il peut reprendre ces schémas mélodiques en *da-da. da-da ? da-da !*

Compréhension orale

4. L'exercice est un peu plus difficile. On pourra le faire par deux. On fera remarquer que :

a. *je m'appelle* [mapεl] / *il s'appelle, elle s'appelle* [sapεl] – Attention à l'erreur fréquente : **je s'appelle.*

b. *tu es* / *il est, elle est* → même son : [ε]

c. *je connais* / *il connaît, elle connaît* → même prononciation : [konε].

5. Faire commenter les images. Ils sont dans une boulangerie / Ils sont dans la rue. On écrira au tableau le mot *boulangerie*.

Expression orale

6. Les élèves filles, bien entendu, peuvent choisir de se présenter comme « Monsieur... » et inversement.

Il faudra veiller à ce que tout ce qui a été appris dans l'Unité soit réutilisé : *Bonjour* ; *Au revoir* ; *Je m'appelle...* ; *Je suis* + nationalité ; *Je suis* + profession ; *J'habite à...* ; *Je travaille à...*

Interaction orale

7. On fera décrire le lieu de la scène : un train. On incitera les élèves à mobiliser tout ce qu'ils ont appris et à recourir aux gestes. Ils constateront qu'ils sont déjà capables d'engager une conversation en français, même si c'est de façon un peu rudimentaire.

Compréhension écrite

8. On rappellera que, lorsqu'on se présente ou que l'on présente quelqu'un, l'ordre habituel est : prénom + nom de famille (*Je m'appelle Sophie Legrand / C'est Sam Keller*). Quand il s'agit d'un document officiel (une fiche de renseignements, par exemple), on inscrit d'abord le nom.

Expression écrite

9. Il s'agit d'un exercice d'appropriation personnelle : on demandera aux élèves de s'appuyer sur l'exercice précédent afin de remplir la fiche avec leurs propres données biographiques.

Unité 1 Bilan actionnel

À la fin de chaque Unité, un bilan actionnel reprend, de façon ludique, les points importants grammaticaux et de communication, à travers des situations authentiques.

Ce bilan permettra aux élèves de faire le point sur leurs progrès. Ils vont constater qu'ils sont désormais capables de se présenter, de dire où ils habitent, d'exprimer ce qu'ils font mais aussi de saluer, de remercier, de s'excuser... Le bilan amènera certains à revoir aussi leurs lacunes.

1. Euro Millions

Place au jeu et à la compétition !

On écoutera les résultats d'une grille (CD) et on vérifiera si on a les numéros gagnants. Le professeur pourra aussi énoncer à l'oral les résultats d'autres tirages.

2. Mots croisés

Ce jeu reprend le vocabulaire de l'Unité.

On demandera aux élèves de ne pas s'aider de leur livre, d'essayer de faire un effort pour se souvenir des mots qui devraient être maintenant acquis.

3. Un passeport

C'est un exercice de compréhension d'un document authentique.

Ce travail sera à faire en tandem : un élève joue le rôle du policier et l'autre celui de la personne qui trouve le passeport.

Leçon 5 – Qu'est-ce que tu aimes ?

Objectifs fonctionnels :
- parler de soi, indiquer ses goûts, ses préférences
- dire ce qu'on aime, ce qu'on n'aime pas

Objectifs grammaticaux :
- les articles définis : *le, la, l', les*
- le pluriel des noms (1)
- *aimer* + nom ; *aimer* + infinitif
- la forme négative : *ne ... pas*
- *Qu'est-ce que... ?*

Vocabulaire :
- les goûts et les activités

Phonétique/rythme/intonation :
- l'intonation expressive
- de l'oral à l'écrit : les lettres « muettes »

JE COMPRENDS ET JE COMMUNIQUE P. 38-39

Dialogue 1

• Le professeur lira à voix haute le titre de la leçon.

• En introduction, on posera la question à quelques élèves de la classe. Par exemple, *Marc, qu'est ce que tu aimes ?* puis, en pointant les différentes icônes du document 1, on posera différemment la question : *Est-ce que tu aimes la plage ? Le sport ? Le cinéma ?* On pourra faire un tour de table.

• La découverte de ce document a pour objectif de travailler sur deux structures grammaticales : *aimer* + nom / *aimer* + infinitif, et leur forme négative.

• Faire écouter le dialogue une première fois. On demandera : *Est-ce que la femme préfère les vacances à 460 euros ou à 515 euros ? ; Est-ce que l'homme préfère les vacances à 460 euros ou à 515 euros ?* → En se fondant sur l'écoute, on pencherait pour les vacances à 460 euros pour la femme et pour celles à 515 euros pour l'homme.

• On fera écouter deux fois chaque présentation (Laura / Alex) et on passera directement au jeu de rôle (**exercice 5 p. 41**).

Dialogue 2

• On fera écouter deux fois le dialogue, puis on passera à l'exercice de compréhension orale **Écouter**, qui est très simple.

• On reprendra ensuite le dialogue, échange par échange.

A. - *Bonjour, Chris. Moi, c'est Julie. Je suis étudiante à Bordeaux. Et toi, qu'est-ce que tu fais ?*
- *Euh... Je suis étudiant aussi.*

• On reviendra sur : *il est étudiant/elle est étudiante.*

• On demandera : *Elle habite à Bordeaux. Et Chris ?* → On ne sait pas.

• Le verbe *faire* est assez difficile à expliquer dans ce sens. Julie veut dire : *Qu'est-ce que tu fais dans la vie ? Est-ce que tu travailles, est-ce que tu es étudiant ?*

Rappel : les étudiants n'entrent pas dans la catégorie des « travailleurs ». Aussi on pourra entendre : - *Tu travailles ?* → - *Non, je suis étudiant* ou - *Tu es étudiant ?* → - *Non, je travaille. Travailler* (en ce sens) = exercer un emploi et être payé pour cela.

B. - *Qu'est-ce que tu aimes faire ?*
- *Alors... J'aime le cinéma, l'opéra, j'aime lire...*

• Voici un autre sens de *faire* (= *Quelles sont tes activités ?*).

• On revoit les deux structures *aimer* + nom / *aimer* + faire.

• On reviendra sur : *le cinéma, l'opéra* (on peut introduire : *le théâtre, la musique*, mots transparents ; *les livres* - plutôt que *la lecture*, mot plus difficile et faux ami pour les anglophones...). On demandera aux élèves s'ils aiment lire, s'ils aiment le cinéma, le théâtre, l'opéra, la musique (et en ce cas, quelle musique ils aiment).

C. - *Et toi ?*
- *Moi, je n'aime pas beaucoup ça ! Je préfère le sport : le foot, la moto...*
- *Oh là là ! D'accord, d'accord ! Au revoir !*

• On reprendra : *Et lui ? Qu'est-ce qu'il aime ? Il aime lire ?* → *Non. Il aime le cinéma ?* → *Non. Il aime l'opéra ?* → *Non.* Avec un geste, on expliquera *ça* (= tout ça, toutes ces choses-là). *Qu'est-ce qu'il aime ?* → *Il aime le sport* (faire du sport) : *la moto, le foot.*

• On exploitera un peu ce que recouvre le mot *sport* en demandant aux élèves quels sports ils connaissent, quels sports ils pratiquent. Certains mots sont internationaux : *le handball, le basket, le golf, le tennis...* On a déjà vu précédemment *le judo* (p. 28). On peut introduire *le karaté, la boxe* (faciles à mimer).

• Il n'est pas nécessaire d'insister beaucoup sur la réaction de Julie, son intonation est claire : ils sont très différents, ils ont des goûts très différents... donc inutile de continuer la conversation.

• On peut signaler au passage que les Français, dans un niveau de langue familier, utilisent très souvent *OK* dans le sens de *D'accord*, et *Bye* ou *Ciao* à la place de *Au revoir.*

Comprendre

• Il s'agit ici de la consolidation de la structure *aimer* + nom / *aimer* + infinitif.

• Faire travailler en tandem.

Communiquer

On peut au choix faire cette activité maintenant pour consolider les points grammaticaux introduits ou bien la faire à la prochaine session de cours comme exercice de communication.

• Cet exercice est assez simple, on pourra proposer aux élèves une liste d'activités. On donnera en exemple les verbes *lire / danser / nager / dormir / travailler / marcher...* et les noms *la musique classique / le rock / le jazz / les livres / la moto / le ski / la plage / le jogging...* On leur demandera de les classer du plus (*j'adore*) au moins (*je déteste*), puis de présenter oralement leur liste aux autres élèves. On peut aussi utiliser une série de photos ou de dessins représentant diverses activités à classer par ordre de préférence.

Écrire

• Les élèves commenceront à argumenter à l'écrit leur choix à travers les forfaits de vacances à 460 euros ou 515 euros.

• Puis on reprendra ensuite les structures vues avec les élèves :

a. *Et vous ? Vous aimez la plage ? Vous aimez le sport ? → Oui, j'aime... / Non, je n'aime pas...*

b. *Vous aimez danser ? Vous aimez travailler ? Vous aimez dormir ? → Oui, j'aime... / Non, je n'aime pas...*

• On peut également leur demander (avec l'aide du dictionnaire) d'exprimer plus personnellement leurs goûts.

Je prononce

• Dans le travail sur l'intonation, il ne faut pas hésiter à exagérer le ton.

• Une des nombreuses difficultés du français réside dans sa prononciation. Certaines lettres sont muettes. Cet exercice permettra aux élèves d'en prendre conscience.

J'APPRENDS ET JE M'ENTRAÎNE P. 40-41

Grammaire

L'article défini

• C'est le point le plus difficile dans cette leçon. La question de l'article devient très complexe quand il s'agit de distinguer les emplois des articles définis / indéfinis / partitifs.

• On rencontre ici l'article défini avec les verbes *aimer, préférer, détester, adorer...*

• Pour l'instant, on se contentera de faire remarquer l'emploi de *l'* devant une voyelle. On expliquera (avec des mots connus ou faciles à deviner) que le mot peut être masculin (*l'opéra*) ou féminin (*l'idée*).

Le pluriel des noms

Pour l'instant, on se borne au cas le plus simple : on ajoute un -*s* au pluriel (*le sport → les sports*).

La forme négative « totale » : *ne ... pas*

On veillera à ce que les élèves l'utilisent aussi bien à l'oral qu'à l'écrit.

On fera remarquer que devant une voyelle, *ne → n'* (comme *le* ou *la → l'* ou comme *je → j'*).

La forme *Qu'est-ce que... ?*

• Les élèves ont déjà vu *Est-ce que... ?* Attention à ne pas confondre ces deux formes interrogatives.

• On reprendra avec des questions personnelles : *Qu'est-ce que tu fais ? → Je travaille. Qu'est-ce que tu aimes ? → J'aime danser / J'aime lire / J'aime le cinéma / J'aime le tennis...*

• On reviendra, de manière ludique, avec des gestes, des mimiques ou des petits dessins, sur la gradation : *je déteste → je n'aime pas → je n'aime pas beaucoup → j'aime bien* (attention ! cette forme est plus faible que *j'aime*) *→ j'aime → j'aime beaucoup → j'adore...*

Variante : on peut traduire par une mimique les verbes *adorer, aimer, aimer bien, détester* et faire deviner de quel verbe il s'agit.

Exercices et activités

1. L'exercice est facile. Il suffit de bien différencier les sons [i] et [ɛ].

2. Cet exercice est dans la continuation de l'exercice de phonétique précédemment réalisé. On fera remarquer que la plupart du temps les lettres que l'on n'entend pas sont en finale. On donnera un exemple : *Il e(st) étudian(t) à Bordeau(x)*. On donnera d'autres exemples avec des mots isolés : *vou(s) – trè(s) – restauran(t) – Salu(t) ! – alleman(d) – anglai(s) – japonai(s) – chinoi(s) – Thoma(s)...*

3. Attention, cet exercice est plus difficile en raison de sa longueur. On demandera aux élèves de lire d'abord les douze phrases avant de commencer à écouter. On précisera que quatre phrases correspondent à Irina, quatre à Frank et quatre à Noura. On fera écouter trois fois puis, après correction, une quatrième fois.

4. L'exercice est facile. Il porte sur l'utilisation des articles indéfinis. Les mots ont tous été vus et revus : il s'agit seulement de faire attention aux mots commençant par une voyelle et à ceux qui sont au pluriel (*vacances*).

5. Ce jeu de rôle s'inspire du document 1 de la leçon, p. 38. On fera discuter et réagir les élèves sur les activités proposées dans les deux forfaits de vacances à 460 euros ou 515 euros.

Leçon 6 - Joyeux anniversaire !

Objectifs fonctionnels :
- poser une question sur quelqu'un et sur quelque chose (1)
- décrire quelqu'un (1)
- dire son âge, demander l'âge de quelqu'un
- offrir quelque chose à quelqu'un

Objectifs grammaticaux :
- les articles indéfinis
- le pluriel des noms (2)
- la première personne du pluriel : *nous*
- le pluriel des verbes (1)
- *Qu'est-ce que c'est ?* (1) / *Qui est-ce ?*

Vocabulaire :
- les adjectifs pour décrire quelqu'un (*jeune, célèbre, beau...*)

Phonétique/rythme/intonation :
- les liaisons (2)

JE COMPRENDS ET JE COMMUNIQUE P. 42-43

Dialogue 1

• On demandera aux élèves de décrire ce qu'ils voient : la photo montre deux filles qui discutent, qui prennent un café. Il y a aussi des objets (un ordinateur, des livres, un vase...).

• On pourra introduire le point grammatical *Qu'est-ce que c'est ?* en pointant du doigt le cadeau situé p. 43 tout en posant la question : *Qu'est-ce que c'est ?* avant de présenter la réponse : *C'est + un.../une....*

A. *- Eh, regarde ! Devine qui c'est sur la photo !*
- Je ne sais pas... Qui est-ce ?

• On introduira *Qui est-ce ?* → *C'est* + quelqu'un, en utilisant diverses photos d'hommes politiques, d'écrivains, d'acteurs, de chanteurs connus.

B. *- Elle a quel âge ?*
- Elle a 46 ans le 26 février.

• On révisera les mois et la date.

• On insistera sur le fait que pour l'âge, on utilise le verbe *avoir*, ce qui peut surprendre certains élèves : *j'ai vingt ans, il a cinquante ans...* On reprendra avec : *Et vous, vous avez quel âge ? Et X, il a quel âge ?*

C. *- Qu'est ce que c'est ?*
- C'est une surprise.

• On introduira *Qu'est-ce que c'est ?* → *C'est* + quelque chose ; *C'est + un..../une....* À ce stade, les élèves n'ont pas assez de vocabulaire pour que l'on puisse vraiment exploiter complètement cette structure. Mais on peut partir d'objets de leur environnement proche ou en s'aidant de photos (aliments, fruits...) et leur demander ce que c'est, en précisant que masculin = *un...* et féminin = *une...*

Écouter

On fera mémoriser le dialogue 1 pendant 5 minutes avant de faire faire cet exercice. Les élèves devront le compléter sans regarder le dialogue p. 42.

Dialogue 2

Ce dialogue reprend et approfondit ce qui a été vu dans le premier dialogue.

• On situera la scène : une galerie de photos et on présentera les personnages : une femme, Sarah Mallet ; un jeune homme, Pierre Ivanov ; une jeune fille, Jamila Hatami (qui ne parle pas).

• On fera écouter deux fois le dialogue en entier.

• Puis on demandera tout de suite aux élèves de répondre aux questions de compréhension orale de la rubrique **Comprendre**.

• On reviendra sur : *une photo / un(e) photographe - un peintre.*

Attention ! Il faudra expliquer que certains noms de métiers n'ont pas de féminin, même si beaucoup de femmes les exercent. Par exemple : *un maire ; un médecin ; un peintre... N.B. :* on peut lever l'ambiguïté en disant *une femme médecin* ou *un médecin femme ; une femme peintre ; madame le maire...*

• On insistera à nouveau sur l'emploi du verbe *avoir* pour indiquer l'âge. On peut demander : *Et Sarah Mallet, elle a quel âge ? Et Jamila ?* Et introduire (sans l'écrire) *à peu près ; plus ou moins ; environ* (avec un geste de la main pour en faire comprendre le sens) → *à peu près 50 ans / à peu près 25 ans...*

• Le moment semble venu de faire un point sur les mots terminés par -*e* qui peuvent être masculins ou féminins. On se contentera des mots déjà vus dans les leçons précédentes :

- adjectifs → *il est jeune / elle est jeune - il est célèbre / elle est célèbre - il est suisse / elle est suisse ;*

- noms → *c'est un journaliste / c'est une journaliste ; - c'est un touriste / c'est une touriste - c'est un photographe / c'est une photographe* mais attention ! *c'est un peintre* (homme) / *c'est un peintre* (femme).

• On rappellera qu'ici *mademoiselle* signifie jeune fille. Attention ! *Mademoiselle* était jadis réservé aux jeunes filles et aux femmes célibataires (jeunes ou vieilles) ; ce terme ne concerne plus aujourd'hui que les jeunes filles. Pour toutes les femmes, mariées ou non, on dit *madame*.

• *Nous travaillons ensemble.* → On fera remarquer que le mot *ensemble* qui exprime une idée de « collectif » demande toujours un verbe au pluriel : *Je travaille avec Jamila / Jamila travaille avec moi/ Nous travaillons ensemble ; ils travaillent ensemble.*

Communiquer

Ce jeu de devinettes est à faire en groupes. On favorisera bien sûr l'imagination.

Écrire

Ce devoir est à faire à la maison. Cela permettra au professeur, lors de la correction, de vérifier l'orthographe des élèves.

Je prononce

La liaison après *c'est...* n'est pas vraiment obligatoire mais il est préférable de la respecter.

J'APPRENDS ET JE M'ENTRAÎNE P. 44-45

Grammaire

1. Les élèves connaissent les six pronoms personnels (*je, tu, il/elle, nous, vous, ils/elles*). À partir de maintenant, on leur demandera, pour les conjugaisons, de se reporter aux Tableaux des conjugaisons en fin de manuel. On fera remarquer que, avec la 1re personne du pluriel, la terminaison du verbe est *-ons* (sauf *nous sommes*) et que cela se prononce [ɔ̃] → *nous travaillons – nous écoutons – nous connaissons...*

Il semble prématuré d'aborder la question des radicaux.

2. Ils savent maintenant poser une question :

– sur l'identité de quelqu'un → *Qui est-ce ?* ou, plus familier : *Qui c'est ? C'est qui ?*

– sur la nature de quelque chose → *Qu'est-ce que c'est ?* ou, plus familier : *C'est quoi ?*

– sur l'âge de quelqu'un → *Vous avez quel âge ? Tu as quel âge ? Il a quel âge ?*

• *Il est photographe – Elle est photographe // C'est un(e) photographe.* Attention ! Les élèves, quelle que soit leur langue maternelle, confondent ces deux structures. Il faudra veiller à bien les distinguer et à corriger systématiquement cette erreur.

Il faut leur faire comprendre que :

– dans le premier cas, il/elles sont de « vrais » sujets et que le nom a alors un statut d'adjectif. On fera comparer : *Il est jeune* (adj.), *il est beau* (adj.), *il est célèbre* (adj.)... et *Il est photographe* (nom à valeur d'adjectif) ;

– dans le second cas, *ce (c')* est le sujet et le mot *photographe* a une valeur de nom. On fera comparer : *C'est un livre* (nom), *c'est un restaurant* (nom), *c'est une baguette* (nom)... et *C'est un photographe* (nom). On peut faire remarquer que l'on retrouve cette distinction dans l'orthographe :

– *Il est français* (français : adjectif → *f* minuscule)

– *C'est un Français* (un Français : nom → *F* majuscule).

Cette distinction est assez peu souvent respectée par les apprenants étrangers, même de très bon niveau.

Exercices et activités

1. et **2.** Les deux exercices portent sur la phrase interrogative. On distinguera *Est-ce que... ?* et *Qu'est-ce que... ?* Avec *Est-ce que... ?*, on attend une réponse globale qui porte sur l'ensemble de la question. Exemple : *Est-ce que vous parlez anglais ? – Oui, non, un peu...* À la question *Qu'est-ce que... ?*, on ne peut jamais répondre par *oui, non, un peu, peut-être...* Exemple : *Qu'est-ce que tu fais ? – Je travaille. / Qu'est-ce que c'est ? – Une photo.* On distinguera *Qu'est-ce que c'est ?* qui porte toujours sur quelque chose et *Qui est-ce ?* qui concerne toujours une personne.

3. L'exercice est un peu moins facile qu'il n'y paraît. Les élèves, par exemple, ont souvent la tentation d'utiliser le verbe *être* pour parler de l'âge, comme en anglais. Il y a donc deux tâches à accomplir : choisir le verbe qui convient et le conjuguer.

4. Attention à *ne* → *n'* devant une voyelle ou un *h* aspiré (ex. : *il n'habite pas...*).

5. Attention ! La confusion entre les deux structures est extrêmement fréquente, même à des niveaux avancés. Il faudra la corriger systématiquement. *C'est un Américain* (*un Américain* = nom). On fera remarquer que, dans ce cas, il faut mettre une majuscule au nom. *Il est américain.* Dans la phrase, *américain* est considéré comme un adjectif. On comparera avec d'autres adjectifs : *il est beau, il est jeune...*

6. Attention, l'activité est « piégeante » : il s'agit de ne pas se laisser troubler par les éléments distracteurs de la réponse.

7. On propose ici d'imaginer la vie des deux personnages (profession, âge, lieu) ou ce qui leur arrive. Les élèves pourront travailler par groupes de trois ; ils reprendront les adjectifs connus et on pourra leur suggérer d'en chercher d'autres dans le dictionnaire (en les aidant pour les accords).

Leçon 7 - C'est un très bon film !

Objectifs fonctionnels :
- proposer à quelqu'un de faire quelque chose
- accepter, refuser

Objectifs grammaticaux :
- la 3ᵉ personne du singulier et du pluriel
- les articles définis et indéfinis
- les pronoms toniques
- les verbes *aller* et *venir* (1)
- *aller au / à la...*
- le futur proche

Vocabulaire :
- les loisirs, les activités culturelles (*aller au cinéma, aller au concert*)

Phonétique/rythme/intonation :
- opposition des sons [e] et [ɛ]

JE COMPRENDS ET JE COMMUNIQUE P. 46-47

Document 1

• Le format de cette partie rappelle celui d'un forum de cinéma bien connu. On fera observer l'affiche du film, le titre. On demandera aux élèves s'ils connaissent le film, les acteurs. Ensuite, on pourra visionner la bande-annonce du film (sur Internet) et lire les commentaires de « Tu aimes ou tu n'aimes pas ».

• - **Bonne** idée de film ! - C'est un très **bon** film. → bon s'utilise pour ce qui a trait au goût (*un bon gâteau, un bon restaurant*...) mais aussi pour qualifier un livre, un film... ou un(e) artiste (*c'est un bon musicien, c'est un musicien excellent*).

• Puis, pour aller plus loin, on demandera aux élèves d'identifier les personnes qui aiment beaucoup le film *Intouchables* (Lola, Mathias, François et Caroline), celles qui l'aiment (Barbara) et celles qui ne le connaissent pas (Enzo, Anna).

• Faire remarquer l'utilisation d'étoiles pour signifier une appréciation (plus le nombre d'étoiles est élevé, plus la personne aime, moins il y a d'étoiles, moins elle a aimé) et l'emploi des verbes *aimer* et *adorer*.

Comprendre

Cet exercice, à faire après l'étude du document 1, est facile. On demandera aux élèves de répondre par des phrases complètes.

Dialogue 2

• On fera décrire l'image. C'est une salle de concert, on aperçoit le public sur la gauche et un chanteur sur la droite. Dans notre situation, c'est le concert de David Guetta. On montrera la photo en support pendant la découverte du dialogue.

• On présentera la situation : une conversation téléphonique entre deux personnages, Maxime et Audrey. Avant de faire écouter le dialogue séquence par séquence, on pourra désigner un élève qui lira les trois lignes d'introduction du dialogue (depuis *Le téléphone sonne* jusqu'à *avec elle.*)

A. - Salut, Maxime, ça va ? C'est Audrey !
- Ah, salut, ça va et toi ?
- Bien. Qu'est-ce que tu fais ce soir ?

• *Salut !* On rappellera qu'entre jeunes du même âge, c'est la manière habituelle de se saluer (pour dire bonjour ou au revoir).

• Les élèves ne connaissent pas *ce soir*. Il faut donc contourner cette difficulté en introduisant l'heure. Par exemple : *Il est 16 h. Qu'est-ce que vous faites à 20 h, ce soir ?* (Vous allez au cinéma, vous dînez chez des amis...) Dans la première phrase d'introduction est mentionné *samedi après-midi*, soit entre 12 h et 19 h. Dans la question d'Audrey *Qu'est-ce que tu fais ce soir ?*, on peut supposer que c'est après 19 h.

B. - *Je vais à un concert au Stade de France. David Guetta, tu connais ?*
- *Oui, bien sûr. Il est excellent ! Je vais aussi au concert avec Magalie, Laura, Chloé, Guillaume et Thomas. Tu viens avec nous ?*

• On présentera les verbes *aller/venir*, on fera le geste « du locuteur vers l'extérieur » (*aller* → *Je vais à un concert*) et « de l'extérieur vers le locuteur » (*venir* → *Tu viens avec nous ?*).

• *David Guetta, tu connais ?* On relancera les élèves : *Vous aimez la musique électronique ? Vous connaissez le DJ français David Guetta ?* À l'heure actuelle, il est le musicien français le plus connu dans le monde...

• *Tu viens avec nous ?* On rappellera la situation : Maxime va au concert avec une amie et ne veut pas que ses amis le voient avec elle. On peut imaginer sa tête en entendant qu'Audrey et toute sa bande d'amis seront aussi présents...

C. - Euh, non, je vais au concert avec une amie...
- Ah oui ? Avec qui ? Comment elle s'appelle ?
- Euh... À tout à l'heure !
- Hé ! On se retrouve où au Stade de France ?

• *À tout à l'heure !* Maxime veut couper court à la conversation, pour cette raison, il utilise *À tout à l'heure !* On expliquera que l'on utilise cette expression lorsqu'on doit retrouver son interlocuteur très prochainement (quelques heures au plus). On expliquera la différence avec *Au revoir* (dans cette expression, il n'y a pas d'indication quant au moment où l'on reverra son interlocuteur).

Remarque : À l'oral, les Français disent souvent *À tout'* (prononcé [atut]) au lieu de *À tout à l'heure* ou *À tout de suite*.

- *On se retrouve où au Stade de France ? = Où est-ce que l'on se retrouve ?* → On pourra préciser que le Stade de France, près de Paris, est le plus grand stade en France (plus de 80 000 places), que c'est aussi un lieu qui accueille des concerts. Audrey est curieuse, elle aimerait bien retrouver Maxime (et son amie) au concert.

- *Euh* est l'une des onomatopées françaises les plus utilisées, elle exprime l'incertitude, le doute.

Écouter

- C'est un travail de compréhension du dialogue 2 à faire individuellement.

- On proposera une correction en commun avec la classe.

Communiquer

On fera faire cette activité en groupes.

a. et **b.** Il y a deux films britanniques : *Harry Potter et le prisonnier d'Azkazan* et *Slumdog Millionaire*, un film d'animation japonais : *Le voyage de Chihiro*, un film français : *Bienvenue chez les Ch'tis* et un film américain : *Titanic*.

- Le film *Harry Potter* est tiré de la série mondialement connue de J. K. Rowling. Il raconte les aventures d'un apprenti sorcier nommé Harry Potter et de ses amis Ron et Hermione. Les acteurs principaux, Daniel Radcliffe, Rupert Grint et Emma Watson, sont anglais.

- Le film *Slumdog Millionaire* est adapté d'un livre indien écrit par Vikas Swarup. C'est l'histoire d'un enfant des bidonvilles de Bombay qui gagne à un jeu télévisé. La suspicion est grande car il n'est pas éduqué, c'est pourquoi il est arrêté par la police à qui il explique comment il a pu répondre à toutes les questions. Les acteurs principaux sont l'Anglais Dev Patel et l'Indienne Freida Pinto.

- *Le voyage de Chihiro* est un film d'animation japonais de Hayao Miyazaki. Au Japon, ce film a compté plus d'entrées que *Titanic*. C'est l'histoire d'une famille qui, en route vers leur nouvelle maison, se perd. Ils découvrent un ancien parc à thème qui se révèle être un endroit de détente pour les esprits. La jeune fille Chihiro va essayer de sauver ses parents enfermés dans ce monde parallèle.

- *Bienvenue chez les Ch'tis,* film français de Dany Boon, a connu un immense succès en France. Il raconte l'histoire du directeur d'une agence de la Poste vivant dans le Sud de la France qui est muté dans le Nord de la France, chez les Ch'tis (surnom des habitants du Nord). Ce film montre les stéréotypes de la vie dans le Nord de la France, souvent dépeinte comme austère, comparé au Sud, où il fait bon vivre. Les deux acteurs principaux sont Kad Merad et Dany Boon, acteurs et humoristes français.

- *Titanic* est un film américain de James Cameron, l'un des plus grands succès de l'histoire du cinéma. Basé sur des faits réels, le naufrage du *Titanic,* le film raconte une histoire d'amour entre Jack Dawson et Rose DeWitt, de classe sociale différente. Leonardo DiCaprio est américain et Kate Winslet est anglaise.

c. Chaque groupe dira pourquoi ils ont aimé tel ou tel film. En plus des verbes d'appréciation *aimer* et *adorer* utilisés dans le document 1 p. 46, les élèves pourront réviser les verbes avec des degrés d'appréciation (voir p. 40).

- On pourra visionner les bandes-annonces de films. (La découverte d'un extrait de *Bienvenue chez les Ch'tis* peut être l'occasion pour le professeur d'évoquer les différents accents des régions de France).

Je prononce

L'opposition des sons [e] et [ɛ]

On montrera la différence d'ouverture de la bouche quand on passe de [i] à [e], de [e] à [ɛ] et de [ɛ] à [a].

J'APPRENDS ET JE M'ENTRAÎNE P. 48-49

Grammaire

Conjugaison des verbes *aller* et *venir*

Ces verbes sont essentiels car, outre leur sens premier, ils permettent de parler au futur (le futur proche) ou au passé (le passé immédiat, que l'on verra plus tard).

Le pronom sujet *on*

- C'est un pronom bien commode : il peut remplacer *nous, ils*... et même, plus rarement, *tu* ou *vous*. On le rencontrera sans arrêt à l'oral, le plus souvent à la place de *nous* qu'il a presque complètement supplanté. Mais on insistera sur le fait qu'à l'écrit, le *nous* est préférable.

> Pour l'instant, on ne parlera pas des autres sens de *on* :
> - *En France, on dîne vers huit heures du soir.* (on = les gens en général)
> - *Écoute, on a frappé à la porte.* (on = quelqu'un)
> - *Alors, ma petite dame, qu'est-ce qu'on prendra aujourd'hui ?* (on = vous)

- Pour les élèves, il est bizarre que le verbe soit au singulier, alors que *on* exprime ici une idée de pluriel. D'où l'erreur fréquente : **On allons au cinéma.* Leur perplexité est encore plus grande quand ils rencontrent, plus tard, des formes telles que : *Marthe, Juan et moi, on est allés au cinéma.* Ici, le verbe est au singulier et le participe au pluriel, la logique « sémantique » l'emporte sur la logique grammaticale.

Les articles définis et indéfinis

C'est le point le plus délicat ; d'autant plus que les élèves s'apercevront, au fur et à mesure de leur apprentissage du français, que chacun de ces articles a plusieurs valeurs. Par exemple :

Les articles définis	
Valeur générique	**La** femme est la moitié du ciel. **Le** chien est le meilleur ami de l'homme
Valeur « spécifiante »	C'est **le** fils de mes voisins. Tu connais **la** femme de Pierre ?

Les articles indéfinis	
Valeur générique	**Une** femme est une femme. **Un** enfant doit boire du lait chaque jour.
Valeur d'« introduction à l'existence »	J'ai rencontré **un** copain. J'ai vu **un** film super.
Valeur comptable	Ils ont **un** fils et **une** fille.

• Pour l'instant, on se bornera aux valeurs suivantes :

a. Les articles indéfinis introduisent quelqu'un ou quelque chose à l'« être », à l'existence, dont on parle pour la première fois et qui est comme « extrait » d'un nombre indéterminé d'êtres ou d'objets semblables. Ex. : *Vous connaissez un bon restaurant ?* (un parmi plusieurs possibles)

b. Les articles définis précisent, spécifient ou concernent un être ou un objet unique. Ex. : *C'est le meilleur restaurant du quartier.* (Il y en a un et un seul.)

• **Les articles contractés** : *Je vais au restaurant.* Les élèves ont tendance à dire **à le(s)* et non *au(x)* et **de le(s)* à la place de *du/des*, ce qui est incorrect mais parfaitement logique. Il faudra les corriger systématiquement (et longtemps !) : c'est un automatisme assez difficile à acquérir. C'est d'autant plus délicat en ce qui concerne l'article contracté *du (= de + le)* que le risque de confusion existe avec le partitif (*je mange du poisson*) qu'ils vont rencontrer bientôt.

Exercices et activités

1. Cet exercice est un peu difficile. Il demande une compétence en compréhension écrite, en compréhension orale et en expression écrite. On demandera aux élèves de bien lire le petit texte. Puis on leur fera écouter les questions, en s'arrêtant quelques secondes entre deux pour leur laisser le temps d'écrire. On incitera les élèves à essayer de faire des phrases.

2. et **3.** Il s'agit de simples exercices de conjugaison. On pourra revenir, après la correction, sur la différence de sens entre *aller* et *venir*. On rappellera, avec un petit schéma au tableau, qu'il s'agit d'une question de point de vue du locuteur. On pourra ajouter qu'on peut dire : *Tu viens ? D'accord, je viens !* sans complément mais qu'on ne dira jamais **Je vais* (qui, lui, exige toujours un complément : *Je vais au cinéma / Je vais danser / Je vais avec vous...*).

4. Pour enrichir l'exercice, on pourra demander aux élèves de choisir un dessin et d'écrire deux lignes sur les personnes représentées. Par exemple : *Ils sont français. Ils s'appellent Léo et Audrey, ils ont trente ans. Ils sont en vacances. Ils sont au restaurant à Marseille...*

5. Dans ce jeu de rôle, les élèves pourront, dans un premier temps, imiter de très près les dialogues de la leçon : *Je vais au cinéma, au concert... – Tu viens / Vous venez avec moi ? – C'est à 18 h, à 21 h...* Dans un second temps, on peut les inciter à s'en écarter un peu en utilisant : *à la plage, à l'opéra / j'aime beaucoup, j'adore, je déteste... / c'est merveilleux, c'est excellent...*

Leçon 8 – Il est comment ?

Objectifs fonctionnels :
- révision : les présentations, parler de soi, parler de quelqu'un
- révision : parler de ses goûts, décrire quelqu'un (2)

Objectifs grammaticaux :
- révision : *aimer* + nom ; *aimer* + infinitif
- récapitulatif : le masculin et le féminin des adjectifs

Vocabulaire :
- la description physique de quelqu'un

Phonétique/rythme/intonation :
- le féminin des adjectifs → + consonne finale sonore (*grand/grande – petit/petite*)

JE COMPRENDS ET JE COMMUNIQUE P. 50-51

Dialogue 1

• On fera commenter les photos : le profil Facebook et la photo qui montre des jeunes filles devant un ordinateur. Puis, on fera écouter deux fois le dialogue en entier et on posera des questions ciblées :

– *Est-ce qu'elles sont amies ?* → Oui, elles ont l'air assez proches l'une de l'autre, d'abord physiquement et aussi, elles ont le même style vestimentaire.

– *Qu'est-ce qu'elles font ?* → Elles regardent l'ordinateur, on suppose qu'elles regardent le profil Facebook de l'une d'entre elles.

A. – *Ils sont comment ?*
– *Ils sont très bien. Regarde Pierre, Il est blond, maigre. Il a 23 ans, il est sympa.*

• Attention, on fera remarquer que cette question peut entraîner deux réponses différentes :

– une description physique : *Il est blond, maigre* (on pourrait préciser : *Il est jeune*) ;

– une description de la personnalité, du caractère : *Il est sympa.*

B. – *Ouah, Malick, il est beau ! Tu connais Malick ! Il a des cheveux longs !*
– *Oui, il est très beau, mais il a une copine.*
– *Ah...*
– *Oui, elle arrive demain.*

• Il faudra revenir sur l'ambiguïté du terme *ami(e)* ou *copain/copine*. Ex. : *Tu as beaucoup d'amis sur Facebook* (→ relation d'amitié). *Il a une copine.* (→ le plus souvent, relation d'amour)

> Attention ! Même pour les Français, cette ambiguïté existe. Si je présente quelqu'un et que je dis :
> – *C'est mon copain François.* → en général, c'est un ami.
> – *C'est François, mon copain.* → je laisse entendre que c'est plus qu'un simple ami.
> Si je veux lever absolument l'ambiguïté, je dirai : *C'est juste un ami.* On dit aussi, sans aucune ambiguïté cette

fois : *C'est sa petite amie, c'est son petit copain* (= son amoureux/se). Dans la situation du dialogue, Malick a une copine, c'est-à-dire qu'il n'est pas libre.

• *C'est un Ah...* de déception.

• On expliquera aux élèves *Elle arrive demain* en montrant sur un calendrier : *aujourd'hui* et *demain* : *Aujourd'hui, c'est le 4 octobre. Demain, c'est le 5 octobre.*

• *Malick va à l'aéroport* : la phrase est au présent mais grâce au mot *demain* elle a un sens futur. *Demain, Malick va à l'aéroport chercher sa copine.*

• *– Il a des lunettes sympas !* On notera qu'à l'oral on peut utiliser l'adjectif *sympa* pour désigner une personne, mais aussi pour parler d'une chose (*Il a des lunettes sympas*). À l'oral ou à dans un écrit informel, des choses (une veste, un livre), un endroit (un café, un restaurant) peuvent être décrits comme *sympas* (l'équivalent du mot anglais *nice*).

• *Lui ? Ah ! C'est qui ?* Cette fois, c'est un *Ah !* de surprise. La personne qu'elle voit ne correspond pas à ses goûts.

Écouter

Cet exercice ne pose pas de difficulté.

Comprendre

C'est un exercice de compréhension orale du dialogue. On devra répondre aux questions à l'aide des descriptions et des photos.

Communiquer

Chaque élève devra faire le portrait d'un de ses camarades puis le lire à haute voix. La classe devra deviner de qui il s'agit.

Écrire

• Christian est le seul personnage qui n'a pas été mentionné durant le dialogue. On demandera aux élèves de le présenter.

• En prolongement, on pourra proposer d'imaginer la suite de la conversation entre les deux amies : elles parlent de Christian...

Phonétique, rythme et intonation

On reconnaît le féminin de certains adjectifs au fait que l'on entend la consonne finale.

On donnera aux élèves quelques exemples :

a. *il est petit / elle est petite* (+ [t])

b. *il est grand / elle est grande* (+ [d])

c. *il est japonais / elle est japonaise* (+ [z])

d. *un cheveu blanc / une barbe blanche* (+ [ʃ])

Grammaire

Le féminin des adjectifs

On rappellera que :

– le féminin et le masculin peuvent être identiques (quand l'adjectif se termine par -e : *il est belge / elle est belge – il est sympathique / elle est sympathique*) ;

– parfois, le masculin et le féminin sont identiques à l'oral mais non à l'écrit : *il est joli / elle est jolie – il est espagnol / elle est espagnole – il est turc / elle est turque.*

On proposera le plus d'exercices possible sur la question des accords en genre. Les élèves, même à un niveau avancé, oublient souvent de faire les accords en genre et en nombre.

Exercices et activités

1. Attention, il y a plusieurs adjectifs « épicènes », c'est-a-dire ayant la même forme au masculin et au féminin (ex. : *facile, difficile, maigre, sympathique...*). Et attention à *turc / turque* (on entend le même son, mais l'orthographe diffère).

2. L'exercice porte sur les accords en genre et en nombre. On le fera faire par deux.

3. Cet exercice de compréhension écrite n'est pas difficile. Si le contexte de la classe s'y prête, on peut diviser la classe en petits groupes et distribuer à chacun des photos différentes (tirés de magazines). On demandera à un groupe de lire sa description et aux autres de dessiner la personne.

4. Portraits robots. Il s'agit, comme dans l'exercice précédent, de rapprocher une image et une description. On expliquera, si nécessaire, les mots *crime* et *suspect* qui sont « transparents » en anglais.

5. Ce projet est à faire à la maison, individuellement ou par groupe de deux.

• Projet 1 : les élèves pourront rechercher des informations sur Internet sur Toulouse dans leur LM ou en français. Ils sélectionneront trois photos leur paraissant bien représenter la ville de Toulouse et les mettront en page avec une légende sous chaque photo.

 • Projet 2 : ils doivent choisir un spectacle parmi les quatre et envoyer un message pour proposer à quelqu'un de venir avec eux (par exemple au format invitation sur Facebook).

Unité 2 Civilisation

On parle français sur les cinq continents

• Avant de commencer à exploiter la double page, on écrira au tableau :

je parle français → je suis francophone

je parle anglais → je suis anglophone

je parle espagnol → je suis hispanophone

je parle allemand → je suis germanophone

je parle portugais → je suis lusophone

• On demandera ensuite aux élèves de donner :

– deux pays francophones (ex. : la France, la Suisse, le Sénégal...)

– deux pays germanophones (ex. : l'Allemagne, l'Autriche...)

– deux pays hispanophones (ex. : l'Espagne, la Colombie)

– deux pays anglophones (ex. : les États-Unis, l'Australie...)

– deux pays lusophones (ex. : le Portugal, le Brésil...)

Suggestion d'activité complémentaire

On pourra aussi donner l'exercice suivant (à faire en groupe ou en classe entière).

Reliez.

Brésil	•	• hispanophones
Autriche	•	
Espagne	•	• francophones
Nouvelle-Zélande	•	
Angleterre	•	• lusophones
Portugal	•	
France	•	• anglophones
Allemagne	•	
Belgique	•	• germanophones
Mexique	•	

• On précisera les noms des **cinq continents** (Europe, Amérique, Asie, Afrique, Océanie) et on montrera sur une grande carte du monde les pays de la francophonie. On fera remarquer que l'Asie est relativement peu francophone (à l'exception du Vietnam et du Cambodge, mais c'est de moins en moins vrai).

• Lors de la correction de l'**exercice 1** p. 55, on pourra insister sur certains lieux :

a. le Canada : le bilinguisme est un principe constitutionnel pour l'ensemble du pays, mais seule la province du Québec est totalement francophone.

b. la Guyane : on rappellera que ce n'est pas un pays mais un département français qui se trouve sur le continent américain. C'est le plus grand de tous les départements français (mais il est très peu peuplé).

c. Haïti, ancienne colonie française, a été la première république (1804) issue d'une révolte d'esclaves. En Haïti, on parle créole et français.

d. la Suisse a quatre langues officielles : l'allemand (le « suisse allemand ») – c'est le plus parlé –, le français, l'italien et le romanche.

e. la Nouvelle-Zélande et l'Australie sont des pays totalement anglophones.

Les Français sont partout !

• On fera d'abord écouter au moins deux fois l'interview de Léo Beaulieu. Puis, on procèdera à une autre écoute après que les élèves auront fait l'exercice.

• Deux erreurs sont faciles à repérer puisque les mots sont écrits sur le livre : *Léo / Bob* ; *suisse / français.*

• On pourra éventuellement extrapoler un peu en demandant aux élèves s'ils connaissent des Français installés dans leur ville : *Dans quels quartiers vivent-ils ? Quel travail exercent-ils ? Parlent-ils la langue de leur pays d'accueil ?* etc.

Compréhension orale

1. La prononciation et l'écriture des nombres sont l'une des grandes difficultés du français. On évitera d'insister sur les nombres très ardus car composés de plusieurs éléments comme *soixante-dix-huit* ou *quatre-vingt-dix-sept...* On travaillera sur des séries plus simples :

– 24 / 34 / 44 / 54...

– 36 / 46 / 56 / 66...

Attention à une confusion fréquente entre 14 (quatorze) et 40 (quarante).

Suggestion d'activités complémentaires

a. On fera compléter des adresses. On écrira au tableau, par exemple :

...... rue de Rome – ..... rue du Bac – ..... place de l'Opéra – ..... avenue du Général de Gaulle.

Puis le professeur dira : *J'habite 38 rue de Rome – Eva habite 53 rue du Bac. – On habite 19 place de l'Opéra. – Ils habitent 101 avenue du Général de Gaulle.*

b. On fera une dictée de numéros de téléphone assez simples. Par exemple :

01 45 62 33 25 – 03 25 29 11 54 – 05 55 61 46 10 – 06 12 13 45 33

On expliquera au passage que l'on peut connaître l'origine géographique de ces numéros, selon qu'ils commencent par :

– 01 → Paris et la région Île-de-France

– 02 → le Nord de la France (exemple : Lille)

– 03 → l'Est de la France (exemple : Strasbourg)

– 04 → le Sud-Est (exemple : Nice)

– 05 → le Sud-Ouest (exemple : Bordeaux).

Les numéros commençant par 06 et 07 sont des numéros de téléphones portables.

2. On fera décrire les trois personnes :

– à l'aide d'adjectifs : *grand(e)/petit(e) – blond(e) – brun(e) – des cheveux longs/courts* ;

– en revenant sur le vocabulaire : *elle aime le sport – elle aime lire* (*elle aime les livres*).

3. On fera écouter deux fois le document, une fois sans le texte, une deuxième fois avec le texte sous les yeux. On demandera ensuite aux élèves de s'auto-corriger en écoutant une dernière fois.

Grammaire et communication

4. Si les élèves ont trop de difficultés pour cet exercice de conjugaison, on les incitera à vérifier leurs réponses dans le Précis grammatical à la fin du manuel.

5. Il s'agit ici de revoir les diverses formes de l'interrogation. On pourra demander aux élèves de donner deux questions possibles pour chaque réponse.

a. *Il a quel âge ? / Quel âge il a ?* (on évitera *Quel âge a-t-il ?* trop difficile à ce stade d'apprentissage).

b. *Il va où ? / Où il va ?* (on évitera *Où va-t-il ?*).

c. *Qui est-ce ? / Qui c'est ? C'est qui ?*, très familier.

d. *Qu'est-ce que c'est ? / C'est quoi ?* (familier).

e. *Vous connaissez Jean Renoir ? – Est-ce que vous connaissez Jean Renoir ?* (on évitera *Connaissez-vous Jean Renoir ?* car cette forme n'a pas encore été étudiée).

6. On reviendra sur la différence entre article indéfini et article défini. On fera comparer :

– **un** musée célèbre à Paris (un parmi d'autres) / **le** musée du Louvre (il est unique, il n'y a qu'un seul musée du Louvre) ;

– **une** rue importante dans votre ville → **la** rue XX (elle est unique).

Interaction orale

7. On fera faire cet exercice sous forme de mini-jeu de rôle. On doit faire poser des questions et obtenir des réponses sur les éléments suivants :

– De quoi s'agit-il ? Avec qui ?

– C'est quand ? Quel jour ? À quelle heure ?

– C'est où ? Quel métro ?

Suggestion d'activité complémentaire

On donne à un élève un petit papier avec ces indications :

a) mercredi – 20 h 30 – une pièce de Victor Hugo - théâtre de l'Odéon – métro Odéon

b) vendredi – 21h – concert de *Tokio Hotel* – le Zanzibar - 5, avenue Victoria – métro Châtelet.

L'élève propose à un camarade de venir : *Je vais au théâtre. Tu viens avec moi ?* L'autre doit lui demander toutes les informations nécessaires.

Compréhension écrite

8. L'exercice est un peu difficile. On laissera aux élèves tout le temps nécessaire. Au moment de la correction en classe, on leur demandera quels indices les ont aidés. On leur fera préciser le nom de l'émission et l'heure.

Expression écrite

9. • On insistera sur les prépositions :

– partir **de** (+ lieu) ; arriver **à** (+ lieu) ;

– partir **à** (+ heure) ; arriver **à** (+ heure).

• On reviendra sur les articles contractés (*au = à + le*)

Je vais à la boulangerie / à l'aéroport, à l'université / au cinéma, au théâtre, au concert, au musée, au restaurant.

Unité 2 Bilan actionnel

1. Cet exercice a pour objectif de réviser les descriptions physiques.

Pour la nationalité de ces personnes, on ne dispose pas d'indice pour déterminer si Arthur ou Jean sont français ou suisse.

2. Cet exercice permet de réinvestir ses acquis sur les goûts, et sur la présentation des autres.

3. Voici un exercice culturel sur l'histoire ancienne de la France et plus précisément sur la ville de Nîmes. On pourra inviter quelques élèves volontaires à faire une brève présentation de la ville devant la classe en disant : *Vous êtes guide touristique, vous présentez la ville, vous montrez où elle se situe sur une carte de France, etc.*

Leçon 9 – Qu'est-ce qu'on achète ?

Objectifs fonctionnels :
- faire des achats
- poser une question sur un objet, sur une quantité, sur un prix
- donner des indications sur un objet, sur une quantité, sur un prix

Objectifs grammaticaux :
- le pluriel des noms et des adjectifs (suite)
- le pluriel des verbes (2)
- l'expression de la quantité (1)
- *il faut* + nom

Vocabulaire :
- les achats au marché (fruits et légumes) et au supermarché

Phonétique/rythme/intonation :
- la distinction entre le [ə] et le [e]

JE COMPRENDS ET JE COMMUNIQUE P. 60-61

Document 1

• Il permet l'étude du vocabulaire des fruits de saison. On révisera les saisons et on introduira les noms du **Vocabulaire** de la leçon, p. 61.

• On peut faire ici, si le niveau des élèves le permet, un petit inventaire de ce que les gens mangent le plus souvent, selon le pays où ils vivent. Par exemple, du maïs au Mexique ; du riz et du poisson en Asie ; du riz et du poulet en Amérique du Sud ; des pommes de terre et du porc en Europe du Nord ; de la viande de bœuf en Argentine... Et on demandera aux élèves quels sont chez eux les aliments de base.

Dialogue 2

• La scène se passe dans un supermarché. On expliquera, avant d'écouter le document sonore, ce que sont ces magasins (ex. : Ed, Leader Price, Monoprix, Franprix...). On y vend un peu de tout : des fruits et des légumes mais aussi des surgelés, des pâtes, du riz, des conserves, des plats tout préparés, des produits ménagers, des boissons... On indiquera aux élèves l'équivalent de ces magasins chez eux. On peut leur montrer un catalogue ou des publicités de ces magasins pour qu'ils puissent voir toute l'étendue de ce qui s'y vend.

• On fera écouter le texte deux fois en entier, puis en deux parties :

A. – *Qu'est-ce qu'on prend ?*

– *Alors... Il faut des légumes. Des pommes de terre, une salade, une boîte de haricots verts...*

• On reviendra sur le mot pluriel : *les légumes*. Pour certains aliments (les tomates, par exemple), on peut hésiter entre fruit et légume.

B. – *Et des fruits ! On achète des bananes ?*
– *Bonne idée, les enfants adorent ça. Et des oranges. Elles sont superbes !*
– *C'est vrai ! Alors, un kilo de bananes, deux kilos d'oranges... et des cerises, hum, elles sont délicieuses... mais elles sont chères*

Attention à *ça* → *J'aime ça, j'adore ça* (= ce dont on parle).

• Les points principaux de ce segment de dialogue sont :
– les formes d'achat (au poids/selon la quantité) qui sont peut-être différentes par rapport aux habitudes des apprenants : on vend certains fruits à l'unité (= *à la pièce*) et non au kilo : par exemple, un ananas, un melon ; on achète des pommes, des poires, des oranges au poids (le prix est indiqué au kilo) ; pour les fruits plus petits et plus chers (fraises, framboises...), on peut les acheter en barquette, de 250 grammes par exemple ;

– les « contenants » : *une boîte de haricots, un paquet de café, un paquet de riz, un litre de lait, une bouteille d'huile, un pot de confiture, une canette de bière ou de coca*... On se bornera aux termes les plus usuels. Ici encore, il est possible que ce soit différent dans le pays des apprenants. On précisera que le café se vend presque toujours en paquet souple, plus rarement en boîte métallique, que le lait se vend généralement en « brique » cartonnée, parfois en bouteille de plastique, presque jamais en bouteille de verre.

• On fera réécouter une dernière fois le dialogue afin que les élèves puissent faire l'exercice de compréhension orale **Écouter**. Dans la liste de noms de fruits et des légumes, ils devront souligner ceux qu'ils ont entendus.

Comprendre

• On fera écouter aux élèves les 4 dialogues, et on mettra en valeur l'intonation des interlocuteurs.

• On demandera si le sens de la phrase est positif ou négatif.

Communiquer

Les élèves devront s'inspirer du dialogue 2 pour jouer cette scène à deux.

Écrire

• Ce travail est à faire en classe ou à la maison.

• Bernard est végétarien, qu'est-ce que les élèves vont acheter et qu'est-ce qu'ils vont cuisiner ? On fera imaginer la situation.

Je prononce

Distinction des sons [ə] et [e]

On montrera d'abord la position de la bouche pour ces deux voyelles :

– [ə] → bouche très arrondie et lèvres très avancées ;

– [e] → lèvres étirées, bouche entrouverte, langue derrière les dents du bas.

• L'exercice doit se faire dans la bonne humeur et rapidement.

• Il serait judicieux de refaire assez régulièrement (en début de cours ou juste à la fin) de petits exercices de ce type, qui sont assez amusants et qui mobilisent les élèves...

L'exclamation et l'accent d'insistance

Pour l'exercice d'intonation, on reprendra l'enregistrement en exagérant encore : *C'est cheeeer !– Ils sont dé-li-cieux !– Les enfants adoorent ça !*

J'APPRENDS ET JE M'ENTRAÎNE P. 62-63

Grammaire

Cette leçon comprend beaucoup de mots nouveaux mais la grammaire ne présente pas trop de difficulté. On insistera sur :

a. Les pluriels

Attention aux mots (noms et adjectifs) terminés par -s, -x et -z → pas de -s au pluriel.

Ex. : *un Anglais, des Anglais – il est heureux, ils sont heureux – un joli nez, des jolis nez.*

> Remarque : C'est surtout avec le -s final que la question se pose, beaucoup d'élèves proposant par exemple : *il est français, *ils sont françaises – il est heureux, *ils sont heureuses* par « hypercorrection », dans leur désir d'ajouter un -s pour le pluriel !

b. *Il faut...* (idée de besoin) + singulier ou pluriel

Ex. : *Il faut des oranges, il faut un litre de lait...*

> Remarque : Pour l'instant, on ne travaillera pas : *Il faut + infinitif*, que l'on verra très bientôt.

c. La différence de structure entre : *Les cerises sont belles mais elles sont **chères*** et *Les cerises, **c**'est beau mais c'est cher.*

On indiquera : *Les mathématiques / le français / la philosophie, **c**'est intéressant...* (masculin, singulier)

Exercices et activités

1. Cet exercice de prononciation permet de revoir les liaisons.

2. L'objectif de l'exercice est de conjuguer les verbes au pluriel et, pour **b.** et **g.**, la phrase entière.

3. L'exercice n'est pas facile car, comme on l'a dit plus haut il est très possible que les produits soient conditionnés différemment dans le pays des élèves. En France, on peut acheter une boîte de sucre (en morceaux), une boîte de haricots verts mais aussi une boîte de sardines, de thon, etc. (boîtes de conserve) ; un paquet de café, un paquet de sucre en poudre ; un pot de crème ; un litre de lait, un litre d'huile ; une bouteille de vin ; une bouteille ou une canette de bière ; un kilo de viande, de poisson, de fruits ou de légumes. On rappellera que certains fruits s'achètent à la pièce (ex. : un ananas).

4. Ce jeu de rôle se déroule sur un marché de Bamako. La monnaie est le franc CFA. Il y a 4 fruits en vente, des papayes, des kiwis, des noix de coco et des mangues. L'exercice est amusant, les élèves peuvent jouer cette scène de marché entre un vendeur et un client / touriste.

5. On peut varier ce type d'exercice en fonction des plats auxquels sont habitués les élèves. Pour éviter de multiplier le vocabulaire inconnu, on peut procéder en utilisant de petites vignettes avec les aliments dessinés ou photographiés qu'on associera pour composer des plats.

Leçon 10 – Je voudrais un gâteau au chocolat

Objectifs fonctionnels :
- faire une liste de courses (*qu'est-ce qu'il faut acheter ?*)
- discuter et composer un menu pour une occasion spéciale

Objectifs grammaticaux :
- les partitifs
- l'expression de la quantité (suite)
- *je voudrais* + nom ou infinitif
- *il faut* + infinitif

Vocabulaire :
- les achats pour un dîner d'anniversaire

Phonétique/rythme/intonation :
- la distinction entre les sons [œ] et [ø] (*du beurre / un peu*)

Dialogue 1

• Nous sommes toujours dans le registre de l'alimentation. Mais cette fois, il s'agit d'organiser un menu.

• Avant de commencer, on pourrait demander aux élèves : *Pour faire un gâteau, qu'est-ce qu'il faut ?* Ils pourront chercher dans le dictionnaire les mots qu'ils ne connaissent pas en français ou demander au professeur de les aider. → *sucre, lait, beurre, farine, crème...* On écrira au tableau les mots trouvés par les élèves.

• On peut aussi leur proposer un ensemble de vignettes (dessins ou photos) : à eux de choisir ce dont ils ont besoin. Pour l'instant, ces mots seront donnés (et acceptés) sans déterminant.

• Livre fermé, on fera écouter le court dialogue. On demandera aux élèves de compléter la recette du gâteau au chocolat p. 64 avec les mots manquants.

• Deux femmes parlent, l'une est plus âgée que l'autre. On peut supposer qu'Alice est une petite fille.
- *Alice voudrait un gâteau. Je fais les courses. Qu'est-ce qu'il faut acheter ?*
- *Il faut des œufs, du lait, de la farine, du beurre, un peu de sucre...*

• La principale difficulté ici est l'introduction de l'article partitif. On fera faire beaucoup d'exercices pour contraindre les élèves à l'utiliser automatiquement.

→ Pour faire un gâteau (= 1), il faut :
- du lait : combien ? un litre ? un demi-litre ? deux verres ? trois verres ? On ne sait pas. → Il faut *du lait*, une quantité indéterminée de lait ;
- de la farine : combien : un kilo ? une livre ? deux cents grammes ? On ne sait pas. → Il faut *de la farine*, une quantité indéterminée de farine ;

- du beurre : combien ? On ne sait pas. → *du beurre*, une quantité indéterminée de beurre ;
- du sucre : combien ? On ne sait pas exactement : *du sucre* (on peut introduire *un peu de sucre, beaucoup de sucre*).

On peut reprendre rapidement : *avec de la farine, du beurre, du lait, du sucre..., qu'est-ce qu'on peut faire ?* → *Des crêpes, des gâteaux, des biscuits...* On peut varier la réponse en fonction des préparations et des aliments familiers des élèves.

• On fera ensuite faire l'exercice de compréhension orale, **Écouter 1**.

Dialogue 2

• On partira de l'image. *Aujourd'hui, c'est l'anniversaire de Marion.* Ce n'est pas le titre du dialogue mais on commencera par là. Sur l'image, on voit un gâteau d'anniversaire et Marion qui va souffler ses bougies.

• Puis on demandera à deux ou trois élèves quel est le jour de leur anniversaire - ce qui permettra de réviser les noms et les mois de l'année.

• On fera écouter le dialogue en entier deux fois. Puis on demandera aussitôt aux élèves de faire l'exercice de compréhension orale **Écouter 2**. Si cela s'avère trop difficile, on attendra d'avoir travaillé le dialogue séquence par séquence pour revenir sur l'exercice.

A. - *Demain, c'est l'anniversaire de Marion. Qu'est-ce que je fais comme dessert ? Une salade de fruits ?*
- *Non, un gâteau au chocolat. Elle adore ça. Avec vingt bougies !*

• On demandera : *L'anniversaire de Marion, c'est aujourd'hui ?* (On donnera la date du jour ; par exemple, le 29 octobre) → *Non, c'est demain.* (= le 30 octobre)

• On précisera : *Il faut un dessert spécial.* On donnera quelques exemples de dessert : une salade de fruits, un gâteau, une tarte, une crème... En général, pour un anniversaire, on fait un gâteau (pour pouvoir « planter » les bougies). On peut demander aux élèves ce qu'ils aiment comme dessert. Et imaginer : *Aujourd'hui, c'est votre anniversaire. Qu'est-ce que vous voulez, comme dessert ?*

> Remarque : Attention à *comme* + nom sans article : *Qu'est-ce que vous voulez comme entrée, comme plat, comme dessert ? Qu'est-ce que vous faites comme travail ? Qu'est-ce que tu vas voir comme film ?*

• *Elle adore ça.* Attention ! Avec *aimer, adorer, détester...* → *ça.*

Ex. : - *Vous aimez le chocolat ? - Oui, j'adore ça.*
- *Et les kiwis ? - Ah non, je déteste ça !*

• *Avec vingt bougies :* on reformulera et on fera répéter : *Marion a vingt ans demain. C'est son anniversaire.*

• On passera la fin du dialogue en deux fois :

B. - *Oui, bien sûr ! Et comme plat ? Je fais du poisson ou de la viande ?*

On donnera des exemples de poisson (une truite, une sole...) en montrant des photos ; on fera de même avec de la viande (du jambon, un steak ou un rôti de bœuf, un gigot d'agneau et aussi un poulet, une dinde ou un lapin). On peut en profiter pour faire un petit point sur ce que mangent les Français. Certaines viandes ne se mangent pas ou très rarement dans d'autres pays : le lapin ou le cheval, par exemple. On peut aussi citer certains plats, comme les escargots ou les cuisses de grenouilles, que les Français cuisinent et qui dégoûtent beaucoup d'étrangers...

• Le verbe *faire* a ici le sens de « cuisiner ». Il faudra expliquer assez vite aux élèves que certains verbes (*faire, prendre, mettre...*) peuvent avoir de multiples sens différents. Ici, par exemple, *faire un gâteau* (= *fabriquer*) diffère un peu de *faire du poisson ou de la viande* (= *choisir, acheter, cuisiner...*).

C. - *De la viande. Un beau gigot, par exemple.*
– Oui, un gigot, c'est parfait ! Avec quoi ?
– Avec des frites ! Beaucoup de frites ! Tout le monde aime ça. Et une bonne bouteille ! Vingt ans, ça s'arrose !

• *Un gigot d'agneau.* Traditionnellement, on mange le gigot d'agneau avec des haricots flageolets. Mais ici, le personnage préfère les frites... comme tout le monde ! *Tout le monde aime ça.*

• Et bien sûr, *une bonne bouteille* (de champagne ou de bon vin) pour fêter l'anniversaire de Marion. On expliquera qu'en France on ne conçoit pas de fête sans *une bonne bouteille* pour trinquer. On fera le geste et on donnera la formule rituelle : *À votre santé ! À la vôtre ! À la tienne !* ou quelquefois *Tchin-tchin !*

• Attention à l'expression *Ça s'arrose !* On partira du premier sens du verbe : *arroser des plantes, arroser des fleurs...* Ici, le sens est un peu différent : on boit pour fêter quelque chose (une bonne nouvelle, un examen réussi, un anniversaire...).

• On profitera de cette leçon pour expliquer aux élèves certaines choses en ce qui concerne l'organisation d'un repas « à la française ». En général, un repas se compose de :

– une entrée (par exemple : charcuterie, salade de tomates, œufs mayonnaise... ou, le soir seulement, et surtout en hiver, une soupe) ;

– un plat (viande ou poisson + légumes cuits ou pâtes ou riz) ;

– souvent, une salade verte ;

– un yaourt ou du fromage (attention, le fromage ne se mange jamais en entrée mais toujours entre le plat et le dessert) ;

– un dessert (un fruit, un gâteau, une tarte ou de la crème...).

Écouter 2

Il s'agit de retrouver, parmi les trois menus, le menu d'anniversaire de Marion.

Comprendre

On formera des groupes de deux ou trois, pour déchiffrer le menu. Cette activité est amusante. Le menu est typiquement français. On corrigera l'exercice en classe.

Écrire

Soit on donne cet exercice à faire individuellement en devoir aux élèves, soit on continue l'activité de groupe et on leur demande d'imaginer un menu avec une entrée, un plat et un dessert. On pourra faire élire le meilleur menu par la classe.

Communiquer

Cette partie sera faite lors d'une autre session si on a mis en pratique l'activité **Écrire** en classe.

Je prononce

Les élèves ont déjà vu pour le son [œ] : *un professeur - il est jeune - à tout à l'heure*, et pour le [ø] : *monsieur - messieurs - des cheveux - délicieux...*

On fera observer la position de la bouche :

- [œ] → lèvres pas très avancées et bouche entrouverte ;

- [ø] → lèvres très avancées et bouche arrondie (« en cul de poule »).

J'APPRENDS ET JE M'ENTRAÎNE P. 66-67

Grammaire

Conjugaison du verbe *faire*

Attention à la prononciation de *nous faisons* → [nufəzɔ̃].

Les articles partitifs

• C'est le point le plus difficile car, le plus souvent, ils n'existent pas dans la LM des élèves.

• Dans le mot « partitif », il y a l'idée de « part », de « partie » d'un tout. On prendra l'exemple très classique : *Il mange un poisson* (entier). / *Il mange du poisson* (un morceau, une tranche...). On expliquera (avec des mots plus simples !) la différence entre « nombrable », « comptable » (un œuf, une orange...) et « indénombrable », « non comptable » (du sucre en poudre, de l'eau, du riz...). Les partitifs s'utilisent pour ce qui est « non comptable ». On demandera aux élèves de trouver des exemples de substances non comptables (de la farine, par exemple).

Remarque : Pour l'instant, on n'abordera pas les mots abstraits (*avoir du courage, de la chance...*).

36

Tout le monde…

Attention, les élèves ont souvent la tentation de dire ou d'écrire : *Tout le monde aiment ça* ou bien *Toute la famille sont là*, arguant du fait que cela représente plusieurs personnes.

Exercices et activités

1. Il s'agit de choisir le verbe qui convient au contexte et de le conjuguer.

2. L'exercice porte sur la différence de sens entre les trois types d'articles (défini, indéfini, partitif). On reviendra avant l'exercice sur :

– la différence entre défini et indéfini : *Il y a un café sur la table. / Oui, c'est le café de Valentine.*

– la différence entre indéfini et partitif : *J'achète du poisson ? / J'ai un poisson rouge.*

On rappellera qu'avec *aimer, adorer, détester*, on utilise l'article défini (qui exprime l'aspect générique) : *j'adore le chocolat, je déteste le poisson…*

3. Cet exercice permet de réviser les « contenants » : *un paquet de…, une boîte de…, un litre de…*

4. L'exercice est difficile. Peut-être les élèves ne connaissent-ils pas le cerf, par exemple. Si le niveau de la classe le permet, on pourra attirer l'attention sur les homophones. Par exemple *mer, mère, maire* ou *vers, verre, vert* ou encore *vin, vingt* et *non, nom*… Ils doivent, grâce au dessin, trouver dans le dictionnaire les mots *âne / nid / verre / cerf*. Si l'exercice est trop difficile, on le fera collectivement.

5. Ce jeu de rôle permet de revoir tout ce qui concerne les repas, les aliments, les quantités et les prix. Il ne faut pas hésiter à le faire faire plusieurs fois (en groupes) en variant légèrement la situation et en incitant les élèves à inventer des péripéties (désaccord sur ce qu'il faut acheter, vendeur désagréable, pas assez d'argent pour payer…). On pourra aussi utiliser des documents authentiques, comme un ticket de caisse, un prospectus de grande surface (avec les prix).

Leçon 11 – Les Champs-Élysées, c'est loin ?

> **Objectifs fonctionnels :**
> – se situer dans l'espace, s'orienter
> – demander son chemin
> – expliquer un itinéraire
>
> **Objectifs grammaticaux :**
> – *vouloir* + infinitif
> – l'impératif (1)
> – *C'est* + adverbe (*c'est loin, c'est tout près*)
> – *quelqu'un*
>
> **Vocabulaire :**
> - *un bus, le métro, une gare...*
> - *à pied*
>
> **Phonétique/rythme/intonation :**
> - les sons [u] et [y]

JE COMPRENDS ET JE COMMUNIQUE P. 68-69

Pour les dialogues 1 et 2, on pourra aider à la compréhension en mimant, en faisant des gestes.

Dialogue 1

• Le premier dialogue consiste en un simple échange de répliques : demander son chemin / répondre.

• On partira du titre de la leçon : *Les Champs Élysées, c'est loin ?* en faisant un geste de la main pour expliquer *loin*. On peut donner, toujours avec un geste des mains, l'antonyme *près*. On pourra aussi situer l'exemple dans la classe en se plaçant près d'un élève : *X est près de moi ; Y est loin de moi.*

• On peut supposer que les élèves connaissent l'avenue mythique des Champs-Élysées.

• On fera écouter le dialogue deux fois.

• On demandera : *Qui parle ? Une touriste ?*

A. - *Bonjour, monsieur, je voudrais aller rue Chateaubriand, s'il vous plaît.*

• On expliquera que pour demander quelque chose poliment, on utilise la forme :

- *Je voudrais* + nom (ex. : *Je voudrais un ananas, s'il vous plaît.*) ;

- *Je voudrais* + infinitif : *Je voudrais aller rue Chateaubriand, s'il vous plaît.*

> Remarque : Pour l'instant, on n'insistera pas sur le verbe *vouloir* (souhait/ désir/volonté) qui sera vu plus loin.

B. - *Allez tout droit sur l'avenue des Champs Élysées en direction de l'Arc de Triomphe.*

• Avec des gestes, on expliquera *tout droit*.

• Puis, on mettra en valeur la forme du verbe *allez* : c'est la première fois que les élèves rencontrent l'impératif.

On expliquera ce nouveau temps grammatical :

- son usage : il sert à donner un conseil ou un ordre ;

- sa morphologie : il a trois personnes (*tu, vous* et *nous* - beaucoup moins fréquent que les deux autres) et il n'a pas de pronom sujet.

On reprendra les quelques verbes qu'ils connaissent pour les avoir vus soit dans les dialogues, soit dans les consignes. On insistera sur les 2e personnes. Sauf dans *Allons...*, la 1re personne du pluriel est peu usitée. On pourra donner des exemples : *Regarde ! Regardez ! Fais l'exercice ! Faites l'exercice deux par deux ! Va à la plage ! Allons au cinéma ! Allez au théâtre ! Viens avec moi ! Venez vite ! Écoutez et répondez. Écoutez et répétez. Lisez. Complétez. Écrivez...*

Ici, l'homme ne donne pas un ordre mais un conseil : *Allez tout droit.* Remarque : S'il parlait à un enfant ou à un ami, il dirait : *Va tout droit.*

C. - *Vous prenez la première rue à droite, rue Balzac. Passez la rue Lord Byron.*

• Entre *vous prenez* et *prenez*, la différence est dans l'usage de la langue. Entre des gens qui ne se connaissent pas, utiliser l'impératif à toutes les phrases pourrait être impoli. C'est pourquoi, alterner avec une phrase au présent (*vous prenez*) adoucit le ton.

> Remarque : Attention au verbe *prendre*. Les élèves ont déjà vu *prendre* dans le sens de « acheter » (*Qu'est-ce qu'on prend ?*). Voici un nouveau sens de prendre : *prendre une rue.*

D. - *Et à pied ?*

- *Ah, à pied, c'est un peu loin.*

• Avec un geste des doigts, on donnera le sens de *à pied*. On demandera : *Et vous, pour aller à l'école (à l'université), vous allez à pied ? Vous prenez le bus ? Vous prenez le métro ? Vous allez à vélo ?*

• *À pied, c'est loin.* → Attention, comme on le verra dans le dialogue 2, *c'est loin* peut signifier une distance (deux kilomètres, par exemple) ou une durée (*C'est loin ? Non, c'est à deux minutes !*). Ici, c'est plutôt le premier sens.

Dialogue 2

• On fera écouter deux fois le dialogue en entier. Puis on demandera :

- *Qui parle ?*

- *Qu'est-ce qu'ils cherchent ?* → La gare du Nord.

- *Ils demandent à qui ?* → À une dame.

> Remarque : On en profitera pour faire un petit point sur *Monsieur/un monsieur* mais *Madame/une dame*, et non *une madame.*

- *C'est loin ?* → Non, c'est près, c'est tout près.

• Ensuite, on fera écouter une troisième fois en demandant aux élèves de se concentrer sur l'itinéraire.

– Allez tout droit. Après la banque, c'est la première rue à droite.

• Il est important de signaler aux élèves les marques de politesse en France, qui sont très importantes ; *Bonjour, monsieur/madame ; S'il vous plaît ; Merci beaucoup ; Je vous en prie.*

• On fera faire directement l'exercice de compréhension orale, qui est facile : **Écouter**.

Comprendre

Cette activité permet de vérifier la bonne compréhension du dialogue 1 et d'amorcer l'exercice de jeu de rôle de la musique **Communiquer**.

Écrire

On fera faire cet exercice à la maison.

Je prononce

Les sons [u] et [y]

Le son [y] est particulièrement difficile car il n'existe pas dans de nombreuses langues (contrairement au [u] qui ne pose jamais de problème). On expliquera aux élèves qu'il est assez facile de le « faire sortir » : il faut que la bouche soit tout à fait arrondie, comme pour faire le son [o]. Il faut alors prononcer un [i]. C'est alors, comme ils le constateront, un [y] qui est produit. On leur fera répéter plusieurs fois : *la rue – la rue du Duc – la rue du Jura...* pour qu'ils maîtrisent la position de la bouche arrondie.

Après avoir montré l'exemple, on leur demandera de prononcer en exagérant beaucoup [i] – [y] – [o] – [u]. Il faut insister sur le fait que, chez les Français, la bouche est perpétuellement en mouvement. On peut montrer aux élèves un extrait d'interview ou de discours politique à la télévision française sans le son, pour qu'ils visualisent ce fait.

Pour les exercices de phonétique proposés dans le manuel, on insistera surtout sur le dernier, en jouant sur l'intonation expressive : *Salut, salut !– Salut, tout le monde !,* par exemple, sont des phrases qu'ils pourront réutiliser tous les jours dans le contexte de la classe.

J'APPRENDS ET JE M'ENTRAÎNE P. 70- 71

Grammaire

Pour faire travailler **l'impératif**, on peut jouer au célèbre jeu de « Jacques a dit... » que l'on devra simplifier un peu puisque les élèves ont peu de vocabulaire à leur disposition. Il faudrait au moins introduire : *la tête – le nez – le bras* et *touchez – levez – tournez.*

> Rappel : Si le meneur de jeu dit *Tournez la tête !*, les élèves ne doivent pas bouger mais s'il dit : *Jacques a dit : Tournez la tête*, ils doivent obéir. Il faut énoncer les phrases de plus en plus vite.

Exercices et activités

1. On laissera un moment aux élèves pour qu'ils regardent bien les dessins. Puis on fera écouter deux fois. Après la correction, on fera écouter, phrase par phrase.

2. On travaillera d'abord la partie 1 que l'on fera écouter trois fois. On procédera à la correction et on réécoutera.

3. Cet exercice permet de revoir les impératifs. On le fera faire à deux car il n'est pas très facile.

4. Cet exercice permet de réutiliser la formule *je voudrais* + infinitif.

5. Ce jeu de rôle a pour but de réemployer les directions et l'emploi de l'impératif. On pourra distribuer un plan de quartier aux élèves (pourquoi pas une carte de la ville où ils se trouvent).

La situation est la suivante : il y a un anniversaire à organiser, vous êtes finalement en charge de tout acheter et de tout organiser car votre ami Denis est malade. Vous ne connaissez pas la ville, mais Denis va vous donner les directions au téléphone.

Les élèves devront essayer de réutiliser le maximum d'expressions « pour communiquer » vues dans les leçons précédentes. Au besoin, on peut les présenter sous forme de liste au tableau pour les leur remettre en mémoire, en leur expliquant à nouveau celles qu'ils auraient oubliées : *Pardon – Excusez-moi – S'il vous plaît – D'accord – Merci – Je vous en prie – Je voudrais aller... – Où est... ? – aller tout droit – prendre la première, la deuxième rue à droite, à gauche – tourner à droite, à gauche – aller à pied – prendre le bus, prendre le métro – Je ne sais pas. Désolé(e) ! – Je suis désolé(e) ! – Je ne connais pas....*

Leçon 12 – On part en week-end ?

Objectifs fonctionnels :
– se situer dans l'espace (2)
– proposer quelque chose à quelqu'un
– organiser une sortie
Objectifs grammaticaux :
– l'impératif (suite)
– l'emploi des verbes *aller* et *venir*
– *chez* + nom de personne ou + pronom tonique
Vocabulaire :
– les sorties culturelles
– les loisirs, les week-ends
Phonétique/rythme/intonation :
les sons [wa], [wi], [wɛ̃]

JE COMPRENDS ET JE COMMUNIQUE P. 72-73

Cette page propose deux documents : un graphique issu du journal *Le Parisien* et un dialogue assez long. Comme toujours dans la dernière leçon de chaque Unité, l'objectif linguistique est avant tout de récapituler et de réviser l'ensemble de ce qui a été vu dans les leçons précédentes.

Document 1

• On fera observer les trois photos : *Que voyez-vous ?* Un avion ; un train (un TGV) ; une voiture (*une deux-chevaux*). Ces deux dernières photos peuvent permettre un apport culturel avec l'usage des sigles TGV, RER, TER, EDF, SCNF, etc. et avec les images stéréotypées de la France : la 2CV, le camembert, un homme avec un béret et une baguette sous le bras, etc.

• On cachera le graphique sur la droite et on lira le titre. On posera la question aux élèves : *Quel est, selon vous, le moyen de transport préféré des Français ?*

• Les données du schéma proviennent du journal *Le Parisien*, quotidien français qui, comme son nom l'indique, paraît à Paris. Sa version pour le reste du pays, *Aujourd'hui en France*, est le journal national le plus diffusé en France. On peut préciser que la presse régionale (*La Voix du Nord, Ouest-France, Sud-Ouest*) compte plus de lecteurs que la presse nationale.

• Après l'étude des photos et la lecture du graphique, on passera à la rubrique **Comprendre** et éventuellement à la rubrique **Communiquer**.

Dialogue 2

• On exposera la situation : un couple, Florence et Julien, discutent. Julien aimerait aller en week-end, faire un petit voyage, mais Florence a beaucoup de travail et lui propose de ne partir qu'au mois de décembre. Après l'écoute du dialogue, on pourra demander aux élèves si, selon eux, Florence veut vraiment partir en week-end en décembre ou si c'est une façon détournée de refuser.

• On fera écouter le dialogue en entier deux fois. Puis on reviendra sur :

- *Qu'est-ce qu'il propose ?* → D'aller à Paris.

- *Où ?* → Voir l'exposition sur Bob Dylan (qui a eu lieu à la Cité de la musique en 2012. On pourra s'aider de documents sur Internet) et aller dîner dans un restaurant qui s'appelle « Chez Victor » tout près de la Tour Eiffel.

- *Quand ?* On ne sait pas.

- *Quelle est la destination finale de leur week-end ?* → Les châteaux de la Loire. On pourra montrer des photos des principaux châteaux de la Loire : Chambord, Chenonceau, Amboise... On les situera sur une carte de France : ils sont tous au bord de la Loire (le plus grand fleuve français, plus de 1 000 kilomètres).

• Julien regarde les billets sur Internet. On pourra poser la question *Comment on peut acheter des billets de train ?* → On peut acheter les billets à la gare, dans une agence de voyages ou sur Internet.

• *Au final, ils vont voyager comment ?* → En voiture.

• On composera, avec les élèves, la liste des moyens de transport qu'ils connaissent en insistant chaque fois sur la préposition : *On va à l'université... à pied, à bicyclette, à moto, en voiture, en bus, en métro, en train.* On utilise quelquefois **en** et quelquefois **à** : **en** → idée d'espace fermé / **à** → idée d'espace ouvert. En pratique, les Français disent très souvent : *en moto, en scooter...* mais ils disent toujours *à pied* (on fera remarquer à nouveau le singulier... vraiment très singulier !).

• On attirera l'attention sur le mot *folie*. Ici, le mot n'est pas pris dans son sens premier, mais il qualifie quelque chose d'inhabituel, d'extravagant. Ici, en l'occurrence, c'est une dépense, les billets d'avion sont chers. On fera réagir les élèves sur le mot *folie* : *Pour vous, qu'est-ce que c'est « une petite folie » ? Acheter un vêtement très cher ? Offrir un bijou ? Faire un voyage ? À quelle occasion faites-vous une « petite folie » ? En fin d'année ? pour un anniversaire ? pour la réussite à un examen ?*

• Si le temps le permet, on pourra aussi expliquer l'usage du mot *petit* dans *un petit voyage*. Les Français utilisent beaucoup *petit* devant un nom (*un petit café, une petite fête, un petit dîner*), pour donner moins d'importance à la chose. Ici, le *petit voyage* fait référence au temps – seulement deux jours – et aussi au côté informel et en toute simplicité : *un petit voyage, toi et moi.*

• Pour aller plus loin, on peut, en expression orale, développer le thème culturel de ce dialogue : Bob Dylan, les expositions, Paris ville culturelle. *Vous aimez les expositions d'art ?*

• On réécoutera une dernière fois le dialogue afin que les élèves répondent aux questions de compréhension orale (**Écouter**).

• Sur le modèle du dialogue étudié, on passera ensuite à la section **Écrire**.

Je prononce
Les sons [wa], [wi], [wɛ̃]

Les élèves connaissent très bien le son [**wi**] → *oui*, et mieux encore le son [**wa**] → *moi, toi, trois, à droite, tout droit, voilà*. Le son [**wɛ̃**] est plus rare et plus difficile car il est nasalisé. On le rencontre dans *loin, moins, au moins, le coin...*

J'APPRENDS ET JE M'ENTRAÎNE P. 74-75

Grammaire

• On travaillera **l'impératif**. C'est un mode que les élèves connaissent déjà, au moins passivement et surtout à la deuxième personne du pluriel, grâce aux consignes orales du professeur (*Allez... / Continuez... Lisez / Écoutez*) et aux consignes écrites dans les exercices du manuel (*Écoutez et répétez / Cochez la bonne réponse / Reliez...*).

• On insistera sur la différence entre *aller* et *venir*. On l'expliquera à l'aide de gestes et d'exemples pris dans le contexte de la classe. C'est une question de point de référence par rapport au locuteur :

– *aller* : du locuteur vers l'extérieur (ex. : *Je vais au cinéma.*) ;

– *venir* : de l'extérieur vers le locuteur (ex. : *Tu peux venir chez moi ? – Il vient me voir*).

• Attention à *chez*. Les élèves ont souvent envie de dire **chez l'université*, *chez le magasin. *Chez* ne peut être suivi que d'un nom de personne (nom propre, nom commun) ou d'un pronom tonique.

Exercices et activités

1. et **4.** Ces deux exercices utilisent les verbes *aller* et *venir*. Distinguer ces deux verbes n'est pas facile. Faire un schéma au tableau sera très utile. L'exercice 1 est une révision des verbes au présent et l'exercice 4 permet d'employer des verbes à l'impératif.

2. La conjugaison des verbes aidera beaucoup à la formation des phrases.

3. Pour les élèves qui connaissent des difficultés, ce sera le moment de faire des révisions.

5. Ce jeu de rôle est à faire à deux ou en petits groupes. Les élèves pourront accéder au site Internet de Disneyland Paris et faire des recherches sur les châteaux de la Loire.

Unité 3 Civilisation

Un petit week-end gastronomique

• Avant de commencer, et à l'aide d'images, on expliquera simplement les mots et groupes de mots suivants :

– *des fruits de mer* (huîtres, crevettes, moules, etc.)

– *une choucroute* (du chou cuit + différents morceaux de porc comme la saucisse, le saucisson etc.)

– *une bouillabaisse* (soupe avec différents poissons).

• Puis on travaillera à partir des photos.

À Deauville

• On fera lire les mots : *bar à huîtres* ; *mer* ; *fruits de mer.*

• On situera Deauville sur la carte de France. *C'est en Normandie. C'est près de la mer.* On expliquera que beaucoup de Parisiens vont à Deauville car c'est l'une des plages les plus proches de la capitale.

À Lyon

• On situera Lyon sur la carte de France, en précisant que c'est la troisième ville de France.

• C'est une ville très gastronomique. Indiquer que le *bouchon* est un restaurant typique de Lyon où l'on mange des spécialités comme le saucisson, les quenelles, avec du vin de Beaujolais ou du Côtes-du-Rhône.

À Bordeaux

• On situera Bordeaux sur la carte de France (introduire *Sud-Ouest*). On indiquera que c'est une ville réputée pour son architecture classique (XVIIIe siècle), comme on peut le deviner sur la photo.

• Elle est connue mondialement pour les vins de sa région.

À Strasbourg

• On situera Strasbourg et la région d'Alsace sur la carte de France, en faisant remarquer que c'est une ville très proche de l'Allemagne. On précisera que c'est l'une des « capitales » de l'Union européenne (le Parlement européen se trouve à Strasbourg).

• La cuisine alsacienne est connue pour ses flamme-kueche, sa choucroute et un gâteau, le kouglof.

À Marseille

• On situera Marseille sur la carte, en précisant que c'est la deuxième ville de France. Elle est près de la mer Méditerranée.

• Sa cuisine est inspirée de la Provence et de la culture méditerranéenne. On y mange de la bouillabaisse.

• Avant de commencer l'exercice, on dessinera au tableau :

– un champignon (on donnera le nom du champignon le plus fameux : le cèpe) ;

– un canard ;

– un cochon (avec des flèches pour indiquer une saucisse, un saucisson, un jambon...).

• On introduira l'expression *de la viande* et l'on demandera aux élèves quelles viandes ils connaissent et ce qu'ils préfèrent :

– du bœuf (on peut préciser qu'on ne dit pas *de la vache* pour parler de viande bovine) ;

– du veau ;

– du mouton / de l'agneau ;

– du porc (on précisera que l'on dit le plus souvent *porc* quand il s'agit de la viande et *cochon* quand il s'agit de l'animal vivant).

• Le poulet, la poule, le canard, la dinde, l'oie, etc. font partie de la catégorie *volaille* (du verbe « voler ») plutôt que de la catégorie « viande ».

À vous !

• On incitera les élèves à s'aider des photos et de ce qui a été appris précédemment. Par exemple, pour les huîtres, on les renverra à la première photo où ce mot figure (*Bar à huîtres*).

• En ce qui concerne les boissons, on fera faire le travail par deux.

Comme le magret de canard est une spécialité de Bordeaux (p. 76), logiquement, on devrait boire une bouteille de Bordeaux et, de même, comme la choucroute est une spécialité d'Alsace, logiquement, on devrait boire une bière d'Alsace (mais c'est selon le goût de chacun).

Pour savoir quel vin accompagne le mieux les fruits de mer (du vin blanc sec), on invitera les élèves à se reporter au texte p. 76, en haut à droite.

Bon appétit !

• La photo représente la place principale (la Grand-Place) de Bruxelles. Tout autour, il y a des restaurants et des cafés célèbres.

• On lira à haute voix toutes les légendes et on expliquera le vocabulaire inconnu.

Suggestion d'activité complémentaire

On proposera ce jeu de rôle : « Au restaurant dans votre ville ».

Deux amis français viennent dans votre ville. Vous voulez les inviter dans un très bon restaurant pour leur faire goûter les meilleures spécialités de votre pays.

a. *Vous les emmenez dans quel restaurant ?*

b. *Qu'est-ce que vous commandez ?*

Vous leur expliquez pourquoi les plats que vous avez choisis sont particulièrement célèbres. Vous précisez les ingrédients et le mode de cuisson (aidez-vous d'un dictionnaire).

c. *Quelle boisson vous choisissez ?*

Ce travail se fera par groupes de trois élèves. Deux élèves jouent le rôle des Français en visite, le troisième celui de la personne qui invite.

On leur donnera une dizaine de minutes pour préparer le jeu de rôle (quel restaurant ? quels plats ?).

Deux groupes (volontaires ou désignés par le professeur) présenteront la scène devant les autres.

Le professeur devra sans doute les aider pour les premières répliques.

– Vous aimez bien manger ?
– Ah oui, la bonne cuisine, on adore ça !
– Alors, nous allons dîner dans un super restaurant !
– Ah oui ? Quel restaurant ?
etc.

Unité 3 Entraînement au DELF

Compréhension orale

1. On peut profiter de cet exercice pour revenir sur l'expression du prix. Par exemple sous forme d'une petite dictée du plus facile au plus difficile :

- dix euros cinquante ; huit euros cinquante ; six euros cinquante

- douze euros trente ; deux euros trente ; six euros quarante

- deux euros quatre-vingts ; douze euros vingt ; douze euros quatre-vingts.

2. Faire écouter deux fois, la seconde fois avec un crayon pour noter les prix entendus. Il s'agit de sommes « rondes », donc assez faciles à noter.

Si le niveau de la classe le permet, on pourra proposer le même exercice en complexifiant un peu. Le professeur lira le texte suivant et les élèves noteront les prix.

Regarde les belles cerises ! Cinq euros cinquante, c'est cher mais... On en achète un kilo ! On prend aussi un ananas, ça coûte trois euros cinquante. Oh, des bananes, j'adore ça ! Deux euros cinquante le kilo, ça va ! Et... et une salade, une belle salade à un euro cinquante. Alors, ça fait combien en tout ? Dix euros ? Treize euros ? Quinze euros ? Calculez !

Interaction orale

3. On proposera une liste (l'idéal serait d'avoir une liste illustrée). On doit faire produire au minimum :
– *Je voudrais....*
– *un kilo*
– *C'est cher / Ce n'est pas cher ...*
– *C'est combien ? Ça fait combien en tout ?*

On peut introduire quelques éléments en plus, en particulier les deux sens du mot *monnaie* :

a) *Un billet de cinquante euros pour un kilo de bananes ! Oh ! Vous n'avez pas la monnaie ?* (ici, la monnaie = la somme exacte, l'appoint)

b) – *Eh ! monsieur, attendez ! Votre monnaie !*
– *Ah oui, merci ! Excusez-moi.* (ici, la monnaie = le reste. Par exemple, si j'achète un ananas à 3,50 euros et que je donne 5 euros, le marchand doit me *rendre la monnaie*, soit 1,50 euro).

On peut aussi donner un troisième sens du mot : la monnaie d'un pays. Ex. : *La monnaie du Japon est le yen.*

4. L'exercice est un peu difficile. Le professeur devra le faciliter au maximum en relançant l'élève par un jeu de questions/réponses : – *Vous habitez dans quelle ville ? Dans quelle rue exactement ? À quel numéro ?* – *À quel étage ? À gauche ou à droite ?...*

On donnera ensuite quelques adjectifs permettant de qualifier un quartier : *sympa / joli / tranquille / animé / vert...* On incitera les élèves à s'aider de leur dictionnaire pour compléter cette liste.

Vocabulaire

5. Le vocabulaire des emballages ou contenants est plus complexe qu'il n'y paraît. Ici encore, on pourra s'aider de catalogues ou prospectus de grandes surfaces. Le mot *bouteille* est associé à l'alcool, le vin, l'eau, l'huile... mais assez peu souvent au lait (on dira plutôt *un litre de lait*). En revanche, on ne demandera pas *un litre de vin* (en effet, une bouteille contient 75 cl). Le mot *paquet* s'utilisera pour le café, les pâtes, le riz, les bonbons, les gâteaux secs... Le mot *boîte* s'utilise pour les aliments en conserve (sardines, thon, légumes...) mais aussi pour les chocolats, par exemple.

On peut introduire les mots :

– une *brique* de lait ou de jus de fruit (emballage en carton) ;

– une *canette* de soda, de bière (boîte, emballage métallique) ;

– un *pack* (un ensemble de canettes ou de bouteilles, par exemple *un pack de bière*).

Grammaire

6. On fera relever les indices qui les ont aidés. Par exemple, *gâteau* → ingrédients (farine, œufs, etc.) ; *Angleterre* → prendre l'Eurostar.

7. La majuscule permet de savoir où commence la phrase. Attention, dans la phrase **a.**, *s'il vous plaît* est mobile : – *Pardon, mademoiselle, s'il vous plaît, je cherche le musée d'Orsay. / Pardon, mademoiselle, je cherche le musée d'Orsay, s'il vous plaît.*

8. Cet exercice ne présente pas de difficulté.

Compréhension écrite

9. L'exercice peut être fait à deux.

On fera lire le message puis les six phrases proposées et enfin relire le message et répondre.

Attention, les phrases nécessitant la réponse « On ne sait pas » sont en général les plus problématiques. Les élèves ont tendance à répondre « Vrai » ou « Faux ».

10. Se repérer sur un plan dans une langue étrangère n'est jamais facile. C'est particulièrement vrai pour les villes européennes dont les rues ne sont presque jamais à angle droit.

Pour le texte, on acceptera le présent : *Tu prends...* , l'impératif : *Prends...* ou bien la forme : *Il faut prendre...*

Unité 3 Bilan actionnel

Cette Unité est importante car elle a permis aux élèves de travailler sur l'expression de la **quantité** (les nombres, les prix, le poids...).

Le deuxième objectif fonctionnel : **proposer à quelqu'un de faire quelque chose** est également très important puisqu'il permet de sortir des simples activités de « se présenter, dire qui on est et ce que l'on fait » pour agir sur l'autre en lui suggérant quelque chose.

Enfin, **savoir demander son chemin et/ou indiquer le chemin à quelqu'un** (avec l'utilisation de l'impératif conseil et de la tournure *Il faut* + infinitif) est immédiatement utile.

On incitera vivement les élèves à se constituer eux-mêmes leur vocabulaire. Trop souvent, ils ne se prennent pas assez en charge et attendent tout du professeur. On leur conseillera ainsi de noter des mots français (ou des expressions) dans un petit carnet.

1. On fera écouter le dialogue seulement deux fois et on demandera aux élèves de choisir le plan qui correspond.

2. Cet exercice permet de réinvestir l'emploi de *je voudrais* et de *je ne voudrais pas*.

3. Cet exercice nécessite d'abord la lecture de la publicité pour pouvoir donner des informations sur le club de gym. Cet exercice se fera à deux.

4. On demandera d'utiliser l'impératif pour donner des conseils.

Pour approfondir, on pourra inviter les élèves à visiter le site Internet « Manger, bouger » du Programme national de nutrition santé (www.mangerbouger.fr).

Le titre *Qu'est-ce que vous avez fait hier ?* montre que cette Unité va aborder la question des temps du passé (le passé composé seulement, à ce niveau).

Leçon 13 – Quelle heure est-il ?

Cette leçon va être consacrée à la façon de demander et donner l'heure, et aux différentes activités de la journée.

> **Objectifs fonctionnels :**
> - se situer dans le temps (1)
> - demander et donner l'heure
>
> **Objectifs grammaticaux :**
> - les verbes pronominaux (rappel du présent et de l'impératif)
> - le futur proche (1)
>
> **Vocabulaire :**
> - l'heure
> - les activités quotidiennes, l'emploi du temps
>
> **Phonétique/rythme/intonation :**
> - le son [r]

JE COMPRENDS ET JE COMMUNIQUE P. 82-83

Document 1

• À travers cette activité, on présentera la journée typique des Français. Elle est découpée en plusieurs moments : celui consacré à un travail rémunéré, celui nécessaire aux fonctions physiologiques (courses alimentaires, repas, sommeil, toilette), celui consacré aux loisirs (temps libre, téléphone, télévision, courses).

– Le travail : 6 h. Avec la semaine de 35 heures, la durée moyenne de travail des salariés à temps plein a diminué, ce qui a augmenté le temps consacré aux loisirs.

– Courses : 1 h. Ce sont les courses alimentaires effectuées en grande surface ou dans les commerces de proximité et les achats qu'on peut faire sur Internet.

– Repas : 2 h. La durée moyenne du petit déjeuner est de 18 minutes, celle des déjeuners pris à l'extérieur de 38 minutes. Les dîners à la maison durent un peu plus d'une heure. Aujourd'hui, les Français passent moins de temps à préparer leur repas : environ 20 minutes (ce qui est dû à l'équipement des fours à micro-ondes, congélateurs, l'offre de plats cuisinés).

– Le sommeil : 8 h en moyenne.

– Toilette : 1 h. Chaque ménage dépense en moyenne 330 euros par an pour les produits d'hygiène-beauté.

Les produits masculins connaissent depuis quelques années une forte croissance.

– Temps libre : 3 h 30. Les Français revendiquent de plus en plus leur temps de loisirs : sport, bricolage, jardinage, activités artistiques (musique, peinture, théâtre, cinéma). Le loisir est un temps où l'on pense à soi et où l'on s'enrichit.

– Télévision : 2 h. Elle représente 59 % du temps consacré aux médias (radio 26 %, presse 8 %). Ceci peut être expliqué par la multiplication de l'offre de chaînes disponibles.

– Téléphone : 30 minutes. 9 Français sur 10 utilisent un téléphone portable.

• Après l'étude du document 1, on pourra passer à l'exercice **Comprendre**.

Dialogue 2

• On travaillera d'abord sur la photo. On demandera aux élèves de décrire ce qu'ils voient. Une mère près du lit de son enfant. Elle le réveille. *Il est quelle heure ? Six heures ? Sept heures ?*

• On reviendra sur le titre : *Debout ! C'est l'heure !* Il est facile avec un geste et une certaine intonation (*Allez, vite ! Debout !*) d'expliquer le mot *debout*. Pour *C'est l'heure*, on utilisera des situations de la classe (*C'est l'heure de rentrer en classe /C'est l'heure de sortir*).

• On passera d'abord une fois le dialogue en entier. Puis on demandera : *Il y a combien de personnes ?* → Trois. *Qui est-ce ?* → La mère et ses deux enfants, un garçon et une fille. *Les enfants ont quel âge ?* → On ne sait pas : 6, 7, 8 ans... *Ils s'appellent comment ?* → Le garçon s'appelle Théo et la fille s'appelle Alice. *Et la mère, elle s'appelle comment ?* → On ne sait pas. *Il est quelle heure ?* → Il est sept heures (sept heures du matin).

• Puis on fera écouter séquence par séquence pour affiner les réponses.

A. – *Les enfants, debout ! Il est 7 heures. Réveillez-vous ! Vous vous douchez et moi, je vais préparer le petit déjeuner.*

• On demandera à la classe : *Qu'est-ce qu'elle dit ? Qu'est-ce qu'elle va faire ?* → Elle va préparer le petit déjeuner. *Et les enfants ?* → Ils vont se doucher (on peut introduire : **prendre** une douche). On expliquera la différence entre le verbe *réveiller quelqu'un* (la mère réveille les enfants : *Les enfants, debout !*) et *se réveiller* (ex. : *je me réveille à 7 h*).

B. – *Je suis fatiguée. Je voudrais dormir encore un peu. Quelle heure est-il ?*
– *Non, pas question ! Il est 7 heures. Allez, hop, debout ! Et tout de suite !*

• Alice est fatiguée, elle voudrait dormir un peu plus. Les élèves connaissent déjà : *je voudrais...* Ici, c'est l'expression du souhait, du désir. On relancera : *Alice aime dormir. Et vous ? Elle se lève à 7 h. Et vous, vous vous levez à quelle heure ?*

• On expliquera : *Pas question !* = Non, non, non ! / Pas du tout ! / Impossible !

• *Allez, hop, debout !* L'onomatopée *hop* accompagne un mouvement rapide, un ordre immédiat ou bien un saut.

• Les élèves ont vu l'expression *tout de suite* dans la leçon précédente. On peut donner *immédiatement*, plus transparent mais un peu moins fréquent.

C. – *Allez, dépêchez-vous ! Alice, s'il te plaît, réveille-toi ! Tu dors ! Il faut aller à l'école ! Théo, attention avec la confiture ! Oh là là !*

• On demandera à la classe : *Qu'est-ce qu'ils font ?*
→ Ils prennent leur petit déjeuner.

Remarque : On peut en profiter pour faire un point sur les différents sens du verbe *prendre* déjà rencontrés (on précisera aux élèves qu'ils en verront d'autres) :

– prendre = acheter (ex. : *Qu'est-ce qu'on prend ? Des oranges ?*)

– prendre le bus, le métro, la voiture (ex. : *Prenez le bus, c'est direct.*)

– prendre une rue (ex. : *Prenez la deuxième rue à gauche*).

• On a vu *Réveillez-vous !* (les enfants). Voici *Réveille-toi !* (Alice).

• L'expression *Oh là là !* est très fréquente et peut signifier divers sentiments. On essaiera de faire deviner aux élèves l'intention de communication en la prononçant sur différents tons :

– l'étonnement, la surprise ;

– l'admiration ;

– le sous-entendu (un peu coquin) ;

– la désapprobation ;

– l'exaspération ;

– le stress.

Ici, la mère est exaspérée : ils sont en retard, Alice dort encore, Théo ne mange pas proprement...

D. - *Oh ! Il est huit heures! On part ! Vite ! Habillez-vous. Oh là là, je vais être en retard au bureau.*

→ Les enfants vont à l'école. *Et la mère ?* → Elle va travailler. Elle va au bureau.

Écouter

L'exercice de Compréhension orale est un exercice de passage à l'écrit. On demandera aux élèves de le faire sans regarder le texte du dialogue puis de vérifier eux-mêmes avec le texte.

Communiquer

À deux, on mettra en pratique le vocabulaire vu dans les dialogues.

Écrire

En quelques lignes, les élèves devront décrire leur emploi du temps et une journée typique en utilisant les verbes pronominaux, les heures. Ils indiqueront à quelle heure ils se lèvent, se couchent, ils partent au travail/à l'université...

Je prononce

Le son [r]

Voilà probablement le son le plus difficile à acquérir pour la plupart des apprenants car ce [r] français existe dans très peu d'autres langues. Il est difficile dans toutes les positions mais surtout en position intervocalique. Il faudra insister :

– sur la différence entre [r] et [l] : *le riz / le lit – il est rond / il est long – la rue / la lune...* ;

– sur le fait qu'il n'est pas roulé (en français « standard » tout au moins ; dans certaines régions, comme la Bourgogne, le Sud-Ouest, il continue à l'être) ;

– sur le fait que ce [r] n'est pas un son guttural, non plus. Il vient de la gorge mais il est doux.

J'APPRENDS ET JE M'ENTRAÎNE P. 84-85

Grammaire

Les verbes pronominaux

• Ils sont assez difficiles. On n'insistera pas pour l'instant sur la différence entre pronom réfléchi (*je me lève*) et pronom réciproque (*ils se battent*).

• Comme nous l'avons dit brièvement dans la leçon 4 à propos des pronoms toniques, les deux premières formes du pluriel (*nous nous levons – vous vous levez*) paraissent souvent bizarres aux apprenants parce qu'ils les comprennent comme une répétition du même pronom. D'où leur tendance à dire : **Nous levons* ou **Nous se levons*.

• On retravaillera les verbes pronominaux en deux temps :

1. au présent

On dira aux élèves : *Le matin, qu'est-ce que vous faites ? Essayez de penser à toutes les actions que vous faites dans l'ordre. Dites-les et mimez-les.*

Autre possibilité : un élève mime une action et les autres doivent dire ce que c'est : *Tu te brosses les dents / Tu t'habilles...* Le professeur les aidera pour le vocabulaire. *Je me réveille – Je me lève – Je déjeune – Je me douche – Je me rase (pour les hommes) – Je me brosse les dents – Je me coiffe (peigne/brosse les cheveux) – Je m'habille...*

2. à l'impératif

Un élève devra mimer ce qu'on lui dit de faire : *Lève-toi ! Dépêche-toi ! Douche-toi !*

Le futur proche

Le futur proche n'exprime pas toujours quelque chose de réellement très proche dans l'avenir ; cette proximité peut être de nature psychologique : dans mon esprit, la réalisation du projet ne fait pas de doute. Ex. : *Dans trois ou quatre ans, on va aller à Paris.* (sous-entendu : la décision est prise.)

Remarque : On abordera plus tard le futur simple et l'emploi respectif de ces deux temps. On reviendra à ce moment-là sur cet exemple :

– *Nous allons avoir un bébé* (= elle est enceinte, le bébé est déjà là, pour ainsi dire).

– *Nous aurons des enfants* (Quand ? On ne sait pas).

Exercices et activités

1. Cet exercice est très systématique mais utile : les élèves doivent s'habituer à bien conjuguer les verbes pronominaux. Comme on l'a dit à plusieurs reprises, ils ont des difficultés surtout avec les première et deuxième personnes du pluriel (*nous nous.../ vous vous...*).

2. On peut profiter de cet exercice pour travailler l'intonation expressive en faisant répéter avec le ton les ordres ou les conseils.

3. On imaginera la journée de Théo et d'Alice du dialogue 2 p. 82. Certains verbes sont pronominaux, d'autres sont réguliers.

4. Le texte n'est pas très difficile, mais les élèves peuvent être désarçonnés par le fait qu'il s'agit d'un type de texte non encore vu jusqu'ici et par les questions qui suivent. On leur expliquera que presque toujours, il y a plusieurs réponses correctes. D'autre part, par exemple, dans le **f.**, il est bien sûr possible d'aller à Genève en bateau, à bicyclette ou à pied. Tout dépend de la ville de départ. On leur demandera de rester strictement dans le cadre du document.

Leçon 14 – On peut se voir la semaine prochaine ?

Objectifs fonctionnels :
- se situer dans le temps (2)
- prendre rendez-vous
- les jours de la semaine
- l'heure (suite) : heure familière, heure officielle

Objectifs grammaticaux :
- le verbe *pouvoir* + infinitif
- tout, toute
- quel, quelle

Vocabulaire :
- l'heure (suite)
- l'emploi du temps (suite)

Phonétique/rythme/intonation :
le son [r] (suite)

JE COMPRENDS ET JE COMMUNIQUE P. 86-87

Cette leçon touche un sujet professionnel : un emploi du temps et une prise de rendez-vous.

Document 1

• On découvrira un extrait de l'agenda de Morad Laugier, du lundi au jeudi. On demandera aux élèves de lire cet emploi du temps. Il ne devrait pas y avoir *a priori* de problèmes majeurs de compréhension.

• Après l'étude de cet emploi du temps, on passera directement à l'activité **Comprendre**.

Dialogue 2

• Il s'agit de prendre rendez-vous avec quelqu'un.

• Le dialogue commence par *Allô, Jacques* et la présentation de la personne (*C'est Michel*) + *Comment allez-vous ?* et il se termine par *Très bien. À mardi !*

• On présentera les deux personnages : Michel et Jacques. On essaiera de faire comprendre qu'ils travaillent sur des projets communs et qu'ils essaient de se rencontrer. Michel fait beaucoup d'effort pour avoir rendez-vous avec Jacques (*Quand ? Quel jour ? Et mardi, c'est possible? Le matin ? Le soir ?*)

• On fera écouter le dialogue d'abord une fois en entier, puis en deux parties. Ensuite, on vérifiera que les informations ont été bien comprises avec l'exercice **Écouter** et son exercice à trous.

A. *- Allô, Jacques, c'est Michel. Comment allez-vous ?*

- Très bien, merci.

- On peut se voir la semaine prochaine pour le projet Hudson ? Oui ? Quand ? Quel jour ?

- Attendez... lundi prochain, vous êtes libre l'après-midi ?

- Non, désolé, lundi, je suis à Bruxelles toute la journée. Et mardi, c'est possible ? Le matin ? Le soir ?

• On demandera : *Qui appelle ?* → Michel. *Il appelle qui ?* → Jacques. *C'est son ami ?* → On ne sait pas. Il lui dit « vous », c'est plutôt une relation de travail. *Il appelle pour quoi ?* → Pour parler d'un projet, le projet Hudson. *C'est quel projet ?* → On ne sait pas. *Jacques propose quel jour ?* → Lundi, lundi prochain, lundi après-midi. *Michel est d'accord pour lundi ?* → Non. *Pourquoi ?* → Il n'est pas là, il est à Bruxelles toute la journée (= le matin + l'après-midi). *Qu'est-ce qu'il dit ?* → Désolé !

• On réécoutera cette partie avant de passer à la suite du dialogue.

B. *- Et mardi, c'est possible ? Le matin ? Le soir ?*

- Mardi, mardi... À quelle heure, le matin ? J'ai rendez-vous à onze heures. On se retrouve à 11 h 45 ? Je suis libre tout l'après-midi. On déjeune ensemble ?

- Très bien. À mardi !

• On demandera : *Michel propose quel jour ?* → Mardi. *Jacques est d'accord ?* → Oui, mais il a un rendez-vous à 11 h. *Alors, ils prennent rendez-vous pour quelle heure, mardi ?* → 11 h 45. *Qu'est-ce qu'ils vont faire ?* → Déjeuner ensemble et parler du projet Hudson (et travailler).

• *Lundi prochain* : un geste expliquera qu'il s'agit du lundi qui vient, du lundi suivant. On réutilisera cet adjectif avec des situations prises dans le contexte de la classe. Par exemple : *Pour lundi prochain, faites l'exercice page... n°....*

• On reprendra : *le matin* (jusqu'à midi) / *l'après-midi* (jusqu'à 18 ou 19 h) / *le soir* (après 19 h) en insistant sur le fait que le découpage n'est pas aussi net.

• Grâce au dialogue, on pourra faire pratiquer les élèves avec l'activité **Communiquer** qui se fonde sur l'emploi du temps de Morad Laugier. Le scénario est le suivant : un(e) ami(e) de Morad est en vacances, a beaucoup de temps libre et voudrait le rencontrer. Morad travaille et a déjà son emploi du temps pour la semaine, il va essayer de rencontrer son ami(e).

Écrire

À nouveau, cet exercice permet au professeur de vérifier l'orthographe de ses élèves. Le sujet portant sur leur emploi du temps, cela poussera ceux-ci, nous l'espérons, à écrire davantage que lors des leçons précédentes.

Je prononce

Le son [r] a été vu lors de la précédente leçon. On y revient dans celle-ci, spécialement lorsqu'il se trouve à l'intérieur d'un mot. Pour beaucoup d'apprenants, des mots comme *mercredi* ou *vendredi* sont extrêmement problématiques. On insistera à nouveau sur deux points : le passage de l'air dans la gorge est rétréci et il y a comme un frottement assez doux.

J'APPRENDS ET JE M'ENTRAÎNE P. 88-89

Grammaire

Les verbes *pouvoir* et *vouloir*

Ces deux verbes se ressemblent : on pourrait les aborder ensemble.

Attention à la terminaison : l'orthographe change (*je peux, je veux // il peut, il veut*) mais on entend la même chose.

Heure officielle / heure familière

Cette question a déjà été abordée à la leçon 13. Il s'agit ici de consolider ce qui a été appris. Les élèves demanderont sans doute dans quelles circonstances l'heure est « officielle » ou « familière ». À la radio, à la télévision, au travail, c'est l'heure officielle. À la maison, entre amis, on utilisera le plus souvent l'heure familière (ex. : *On se retrouve ce soir vers huit heures, huit heures et quart ?*).

Quel, quelle, quels, quelles

La prononciation est la même : [kɛl].

Tout, toute, tous, toutes

On fera observer aux élèves la différence entre : *tout le monde / tout le temps* et *tous les jours / tous les lundis* ; *toute la journée / toute la France* et *toutes les Anglaises / toutes mes amies*. On signalera qu'en aucun cas on ne peut trouver **touts*.

Exercices et activités

1. Il s'agit de faire conjuguer à toutes les personnes le verbe *pouvoir*, très irrégulier. On insistera sur le fait que pour les trois personnes du singulier, la prononciation est la même mais pas l'orthographe. Attention, dans *ils peuvent*, on doit entendre la consonne finale [v] très distinctement.

2. On fera remarquer que quelle que soit l'orthographe du mot, on entend la même chose : [kɛl]. Il faut donc faire attention au genre et au nombre du mot.

3. *tout* + déterminant (ex. : *tout le temps*) et *tous* + déterminant (ex. : *tous les jours*) se prononcent de la même façon : [tu]. C'est une erreur absolument récurrente chez les apprenants. On ne verra pas pour l'instant le pronom *tous* (ex. : *Je les connais tous.*) dans lequel on entend le -*s* final.

4. Cet exercice demande un peu d'attention puisque ont été mélangées les heures « officielles » et les heures « familières ». On fera remarquer que si l'on dit : *Je l'ai vu hier à 9 h*, on ne sait pas si c'est le matin ou le soir. On dira donc souvent : *hier matin, à 9 h* ou *hier soir, à 9 h*.

On rappellera qu'on ne peut pas dire **Il est dix-sept heures et demie* ou **Il est vingt heures et quart*. Mais on peut dire : *huit heures quinze / huit heures quarante-cinq / midi trente...*

5. Il faudra deviner la profession de ces trois personnes à partir de leur outil de travail visible sur chaque photo : une guitare, un ordinateur, un stéthoscope. On peut supposer qu'il s'agit d'un guitariste, d'une secrétaire / employée de bureau et d'un médecin (on soulignera au passage l'absence de féminin pour ce nom et qu'on on peut dire aussi *une femme médecin*). L'objectif de cet exercice est simple : les élèves doivent imaginer l'emploi du temps de chacun (ils devront utiliser des heures et des verbes pronominaux). Le professeur pourra les aider pour le vocabulaire manquant.

Leçon 15 - Qu'est-ce que tu as fait ce week-end ?

Objectifs fonctionnels :
- se situer dans le temps (3)
- parler du passé (1)
- parler de sa famille

Objectifs grammaticaux :
- le passé composé avec l'auxiliaire *avoir* (1)
- les adjectifs possessifs (1)

Vocabulaire :
- les relations de parenté, la famille (1)
- les activités quotidiennes

Phonétique/rythme/intonation :
- les sons [ə] et [e] dans la discrimination orale entre présent et passé composé

Dans cette leçon, on aborde pour la première fois un temps du passé : le passé composé.

JE COMPRENDS ET JE COMMUNIQUE P. 90-91

Document 1

• Ces couvertures de magazines serviront d'accroche au thème de la leçon : les activités du week-end, les loisirs.

• On fera lire le titre de la leçon : *Qu'est-ce que tu as fait ce week-end ?*

• On voit trois magazines hebdomadaires :

– *Pariscope* et *L'Officiel des spectacles* qui répertorient les événements culturels à Paris et en Île-de-France ;

– *Télérama*, un magazine consacré à la <u>té</u>lé<u>vi</u>sion, à la <u>ra</u>dio et au ciné<u>ma</u>. Aujourd'hui, c'est une revue plus généraliste qui présente aussi les expositions, les livres et propose des sujets de société.

• On pourra préciser que Paris offre un choix de sorties multiple, avec 140 salles de théâtre et de spectacle, une centaine de discothèques, 90 cinémas (378 salles) et 3 opéras.

• L'encadré *Sorties à Paris* sera lu plus en détail après le dialogue. Pour l'instant, on pourra s'arrêter sur les parties principales *Cinéma, Restaurants, Concert* et demander aux élèves leur loisir préféré : *Qu'est-ce que vous préférez ? Aller au cinéma ? au restaurant ? à un concert ?*

Dialogue 2

• On partira du titre. Expliquer le mot *week-end* : samedi et dimanche, deux jours libres. Généralement, on ne travaille pas pendant le week-end. Mais les magasins en France sont ouverts toute la journée le samedi et certains aussi le dimanche matin.

• On fera écouter une fois le dialogue en entier pour situer la scène. *Qui parle ?* → Un homme et une femme. Ils sont assez jeunes. *Elle s'appelle comment ?* → Louise. *Et lui ?* → On ne sait pas. *Qu'est-ce qu'ils font ?* → Ils parlent. *Ils parlent de quoi ?* → De leur week-end. De leurs activités du week-end.

• On peut demander aux élèves quel jour se passe la scène. → Dimanche, sans doute le soir (*Aujourd'hui, j'ai bavardé avec mon amie Christine. / Aujourd'hui, j'ai dormi presque toute la journée.*) *Où habite Louise ? Où habitent les copains de Louise ?* → Elle, à Paris ; eux, à Bruxelles (*J'ai vu mes copains de Bruxelles, ils sont à Paris*).

• On reprendra en deux séquences :

A. Le week-end de Louise

– Salut, Louise, ça va ? Tu as passé un bon week-end ?
– Excellent. Samedi, j'ai vu mes copains de Bruxelles, ils sont à Paris. Nous avons mangé au restaurant. L'après-midi, nous avons fait des courses. Et aujourd'hui, j'ai bavardé avec mon amie Christine à la maison.

• On leur demandera, lors d'une première écoute, de repérer les mots connus ou transparents : *week-end – samedi – Bruxelles – Paris – restaurant – faire les courses.*

• Puis, lors d'une seconde écoute, on leur demandera de porter leur attention sur les activités du week-end jour par jour : samedi → copains de Bruxelles / restaurant / courses ; dimanche → à la maison, avec Christine.

• On réécoutera une troisième fois pour travailler les passés composés avec l'auxiliaire *avoir* :

– les copains de Bruxelles → *J'ai vu mes copains* (voir)

– restaurant → *Nous avons mangé au restaurant* (manger)

– courses → *Nous avons fait des courses* (faire)

– Christine → *J'ai bavardé avec Christine* (bavarder).

• On introduira le pronom possessif **mes** (en ajoutant chaque fois un geste pour montrer qui est le « possesseur ») : *C'est mon père / C'est ma mère / Ce sont mes parents.* On reviendra sur la photo du groupe d'amis en montrant successivement les personnes du groupe : *C'est mon copain / C'est ma copine / Ce sont mes copains.*

• On expliquera la différence entre parler et bavarder (*bla bla bla bla bla...*) et on reviendra sur l'expression « à la maison » (= chez moi, chez nous).

• En conclusion, on demandera : *Elle a passé un bon week-end ?* → Oui, excellent !

B. Le week-end de l'ami de Louise

– Et toi, qu'est-ce que tu as fait ?

– Rien ! Hier matin, j'ai fait le ménage. Je déteste ça ! Ensuite, j'ai regardé la télé. Aujourd'hui, j'ai dormi presque toute la journée.

• On procédera à deux écoutes de cette séquence pour que les élèves relèvent les mots connus : *hier – détester – regarder la télé – aujourd'hui – dormir*.

• *Qu'est-ce qu'il a fait ?* → Rien ! (c'est-à-dire rien d'intéressant) Il a fait le ménage (on mimera quelqu'un qui balaie, nettoie les vitres, passe l'aspirateur…) ; il a regardé la télévision ; il a dormi (les élèves connaissent *dormir* (leçon 5) mais on pourra mimer quelqu'un qui dort) ou *Il a dormi toute la journée ?* → Non, mais *presque* toute la journée.

• En conclusion, on demandera : *Il a passé un bon week-end ?* → Non, parce qu'il a fait le ménage !

Écouter

Comme souvent, l'exercice de compréhension orale est un exercice de passage à l'écrit. Certains mots à compléter sont des noms (*un restaurant – des courses – le ménage*). D'autres sont des verbes au passé composé. On incitera les élèves à se reporter au dialogue écrit et à l'encadré « Grammaire » p. 92. Ils doivent passer de : *J'ai vu* mes copains à *Elle a vu* ses copains ; de *J'ai bavardé* à *Elle a bavardé* ; de *J'ai regardé* à *Il a regardé* ; de *J'ai dormi* à *Il a dormi* ; etc. Ce n'est pas très difficile, seule la forme de l'auxiliaire change et ils connaissent à présent, parfaitement le verbe *avoir*.

Communiquer

• À travers cette activité, les élèves imagineront un week-end à Paris, à deux, ou en groupe. Ils liront le document 1 *Sorties à Paris* p. 90 et réfléchiront à un dialogue au passé composé avec le choix de la sortie.

• Le professeur pourra écrire les verbes au passé composé au tableau ; ce travail se fera avec l'aide des élèves. Exemples :

– *Nous avons vu le dernier film de Frédéric Delon.*

– Bravo Dimanche ? *Nous avons adoré le film ! Nous avons fait les courses, nous avons bavardé à la maison. Ensuite nous avons mangé au restaurant Chez Gaston, nous avons vu le concert de Mademoiselle Adèle.*

• Ce travail à l'oral donnera les bases du travail écrit proposé dans la rubrique **Écrire**. Les élèves pourront alors parler de leur week-end passé.

Comprendre

À travers cet exercice, on révisera le vocabulaire acquis par la classe.

Je prononce

L'opposition [ə] / [e]

• On travaillera des paires minimales de phrases très courtes.

• La difficulté pour la plupart des apprenants est le [ə] qui n'existe pas dans de nombreuses langues et non le [e]. Ils ont souvent tendance à prononcer de la même manière *je mange* et *j'ai mangé* (en accentuant le [e]).

• On exagérera la différence entre [ə] que l'on prononcera presque [o] (lèvres très en avant) et [e] (lèvres étirées).

• On peut faire un petit jeu : donner très vite (de plus en plus vite) une suite de verbes soit au présent, soit au passé composé (avec l'auxiliaire *avoir* uniquement) et demander aux élèves de lever un bras si c'est un présent, deux si c'est un passé composé.

J'APPRENDS ET JE M'ENTRAÎNE P. 92-93

Grammaire

Les adjectifs possessifs

• C'est un point un peu complexe. Il faut bien expliquer aux élèves qu'en français on ne s'occupe pas du genre du « possesseur » mais du genre de la chose ou de l'être que l'on « possède » : *C'est la fille de Pierre* → *C'est sa fille – C'est la fille d'Anne* → *C'est sa fille. C'est le copain de Pierre* → *C'est son copain – C'est le copain d'Anne* → *C'est son copain.*

• On fera remarquer aussi que, pour le pluriel, les choses sont plus simples. Il n'y a qu'une seule forme : *Ce sont ses fils/ses filles.*

• Attention : il faudra expliquer que l'on utilise *mon, ton, son* devant un nom féminin singulier commençant par une voyelle. Exemples : *mon école – ton université – mon amie.*

Le passé composé

Il pose deux types de difficultés, outre la forme des participes passés :

– le fait qu'il y a deux auxiliaires possibles (*être/avoir*) ;

– son emploi en relation avec l'imparfait.

Nous verrons la première question dans les leçons qui suivent, sans trop insister pour l'instant sur la question de l'orthographe. On verra ainsi l'accord sujet/participe avec l'auxiliaire *être* (ex. : *elles sont arrivées, ils sont partis*) mais non l'accord COD/participe avec l'auxiliaire *avoir* (ex. : *Les filles qu'il a rencontrées, il les a revues le lendemain*).

• Pour cette leçon, on se contentera de quelques verbes très fréquents, la plupart déjà connus des élèves et fonctionnant tous avec l'auxiliaire *avoir* : des verbes du premier groupe (*travailler*, par exemple) et quelques autres très usités (*faire, voir, dormir*).

Exercices et activités

1. On fera écouter une fois (deux si nécessaire) et une autre fois après la correction.

2. C'est un exercice de compréhension orale et d'orthographe. Cependant, on ne sera pas trop exigeant quant à l'orthographe, sauf pour l'orthographe des verbes (différence entre *je fais* et *j'ai fait*, *regarder* et *regardé*, *travailler* et *travaillé*, *dîner* et *dîné*).

3. Les élèves peuvent se reporter en cas de doute au Précis grammatical. Attention aux erreurs d'accord : l'adjectif possessif s'accorde avec le nom qui le suit (et non avec le « possesseur »).

4. Attention, dans toutes ces phrases avec l'auxiliaire *avoir*, le participe est invariable (nous n'abordons pas ici la question de la place du COD).

5. Cet exercice de grammaire permet aussi une ouverture culturelle. On pourra travailler sur les métiers. Ex. : *Vous reconnaissez Tony Parker ; il est joueur de basket-ball, Zinedine Zidane ; il est joueur de football, David Guetta ; il est musicien, il est DJ, Jean Dujardin ; il est acteur, Eva Green ; elle est actrice.*

On pourra faire remarquer que tous ces verbes au passé composé se conjuguent avec l'auxiliaire *avoir*.

Leçon 16 – Une famille tout en couleurs

Objectifs fonctionnels :
- se situer dans le temps (4)
- parler de sa famille (2)

Objectifs grammaticaux :
- le passé composé avec l'auxiliaire *avoir* (2)
- les adjectifs possessifs (2)
- révision du genre des adjectifs
- la place des adjectifs

Vocabulaire :
- les relations de parenté, la famille (2)

Phonétique/rythme/intonation :
- rythme de la phrase : exercices d'amplification

Cette dernière leçon de l'Unité reprend les acquis des trois leçons précédentes en approfondissant un peu leur contenu. On continuera d'explorer le passé composé, toujours avec le seul auxiliaire *avoir* et à faire l'inventaire des adjectifs possessifs. On fera un point sur la place des adjectifs, question qui sera reprise de façon plus approfondie par la suite.

Dialogue 1

• Ce premier dialogue sur le thème de la famille introduira la place des adjectifs épithètes et les adjectifs possessifs.

• L'image est le support du dialogue. On demandera : *Où nous sommes ?* → Nous sommes dans un jardin. On demandera aux élèves de faire une description de ce qu'ils voient → Une fille blonde, un homme avec une barbe, un homme avec des lunettes, des enfants, une photographe, une grand-mère... *Qu'est-ce que vous voyez sur la table ?* → On voit un gâteau. (On peut introduire les mots *assiette* et *tasse*). Les élèves ont sous les yeux tous les personnages cités dans le dialogue.

• On fera écouter deux fois le dialogue. On demandera : *Qui parle ?* → Deux jeunes filles. On expliquera que l'une des jeunes filles présente sa famille.

• Après l'écoute du dialogue, on demandera à la classe de présenter cette famille avec l'activité **Comprendre**.

Dialogue 2

• À travers ce dialogue, on continuera à introduire les adjectifs possessifs : *mon père* (masc.) + *ma mère* (fém.) = *mes parents* ; *mon fils* (masc.) + *ma fille* (fém.) = *mes enfants* ; *mon frère* (masc.), *ma sœur* (fém.) ; *mon mari* (masc.), *ma femme* (fém.)...

• On donnera le nom *mariage* et les verbes *se marier avec quelqu'un* ou *épouser quelqu'un* (en attirant leur attention sur la construction de ces deux verbes).

• On fera d'abord travailler le titre de la leçon (*Une famille tout en couleurs*) puis celui du dialogue 2 (*Vous venez de partout !*). On expliquera que les personnes dont on parle ici viennent de *partout* (= des quatre coins du monde).

• On fera écouter une première fois l'ensemble du dialogue en demandant tout d'abord aux élèves de repérer les nationalités mentionnées → *sénégalais / suisse / irlandaise / chinoise*. En conclure que c'est une famille multiculturelle ou métissée. *Et Vladimir ? Il est français ?* → Peut-être. Ou bien il peut être russe.

• On réécoutera deux ou trois fois le dialogue en demandant d'imaginer la photo de famille et de la dessiner. Puis on invitera chacun à comparer son dessin avec celui de sa/son voisin(e). Par exemple : au milieu, les parents (un Africain, une Européenne), à droite, le frère, Laurent, et sa femme (rousse, avec des taches de rousseur...), à gauche, la sœur, Carole, et son mari, Xian (qui est chinois). On peut ajouter, si on veut, les enfants de Carole et de Xian. Sans oublier Vladimir et la jeune fille qui décrit sa famille.

Écouter

L'exercice est, à nouveau, un passage à l'écrit. Les mots à trouver sont des noms (*femme, mari, fils, fille*) et des adjectifs qu'il faudra veiller à faire accorder (*sénégalais, suisse, jolie, rousse*). On rappellera au passage que les adjectifs terminés par -*e* ont la même forme au masculin et au féminin (ex. : *belge, suisse, sympathique*...).

Communiquer

• Ce sera ensuite au tour des élèves de présenter leur famille à la classe.

• L'activité se fera en petits groupes, le professeur passera dans chaque groupe pour corriger les tournures de phrases et le vocabulaire. Pour ceux qui n'auraient pas été corrigés, la partie **Écrire** pourra y remédier.

Je prononce

• Cet exercice permet de reprendre la question de la place de l'adjectif, mais c'est surtout un exercice d'amplification, de travail sur le souffle.

• Attention, ce n'est pas très facile. On doit prononcer en un seul souffle, d'un seul élan, les trois énoncés selon cet exemple :

a. *C'est une femme* (3 syllabes) – *C'est une jeune femme* (4 syllabes) – *C'est une jeune femme rousse* (5 syllabes).

J'APPRENDS ET JE M'ENTRAÎNE P. 96-97

Grammaire

L'accord de l'adjectif

Les élèves ont déjà vu, dès les premières leçons, cette question. Il peut paraître étrange que le français ait besoin de marquer le genre et le nombre de manière aussi redondante, à plusieurs reprises. Beaucoup d'apprenants trouvent cela excessif ! Par exemple, dans la phrase *Les deux jeunes parents promènent leur bébé dans le parc,* les marques du pluriel sont : l'article défini *les* ; *deux* ; le *-s* de *jeune*s ; le *-s* de *parents* ; la terminaison en *-ent* du verbe ; l'adjectif possessif *leur*. Il faut dire et répéter que l'on doit respecter toutes ces marques de genre et de nombre.

La place de l'adjectif épithète

C'est une question un peu délicate car elle dépend de plusieurs facteurs :

– la longueur respective des noms et des adjectifs ;

– la syntaxe (présence ou nom d'un adverbe accompagnant l'adjectif) ;

– le sens (*un grand homme ≠ un homme grand – l'année dernière ≠ la dernière année...*)

– l'intuition du locuteur et de l'auditeur (ce que l'oreille accepte ou non !), ce qui est très difficile à faire passer...

Cependant, on pourra donner dès maintenant aux élèves quelques règles :

– les adjectifs de couleur, de nationalité, de forme sont toujours placés après le nom. Ex. : *une femme blonde – un copain coréen – une table ronde...* ;

– les adjectifs ordinaux (*premier, deuxième, troisième...*) sont avant le nom. Ex. : *les deux premières années – ma troisième fille* ;

– les adjectifs très courts (une seule syllabe) sont très souvent (mais pas toujours !) avant le nom. Ex. : *une grande ville – un bon chocolat – un grand bateau ;*

– quand les adjectifs sont beaucoup plus longs que le nom, ils sont presque toujours après le nom. Ex. : *un thé délicieux – un film exceptionnel – un bruit terrifiant.*

Les adjectifs possessifs (2)

On reverra et complétera ici la question des adjectifs possessifs. Il y aura un écueil à éviter plus tard : la confusion entre l'adjectif possessif *leur* (ex. : *Mon frère, sa femme et leur fils*) et *leur*, pronom complément d'objet indirect (ex. : *Mes amis sont en vacances, mais je leur téléphone tous les jours*).

Exercices et activités

1. L'exercice est facile sauf pour le pluriel *gâteaux*. On rappellera une fois encore que les mots (noms ou adjectifs) terminés par *-s, -x* ou *-z* ont la même forme au singulier et au pluriel.

2. Cet exercice a pour objectif de réviser la place des adjectifs : les adjectifs de nationalité, de couleur et de forme (ex. : *rond, carré, triangulaire*) sont toujours après le nom ; ce n'est pas le cas de *grand, petit, haut.*

3. Cette activité permet aux élèves de découvrir quelques noms de couleurs.

4. et **5.** Pour travailler davantage le vocabulaire, on propose ici une petite réflexion sur la valeur symbolique attachée à chaque couleur. Pour un Français, le blanc symbolise l'innocence, la pureté ; le noir est la couleur de la mort, du deuil, mais aussi de l'élégance ou du chic ; le rouge est la couleur de la violence (y compris la violence des passions) ; le bleu (couleur très largement préférée des Occidentaux), celle de la douceur, du calme et de l'équilibre ; le vert, celle de l'écologie et de l'espérance ; le jaune, celle de la trahison (un « jaune », c'est un traître)... Pour les élèves, qu'en est-il ?

6. La plupart des apprenants aiment beaucoup apprendre les expressions idiomatiques. En voici quelques-unes liées aux couleurs. On peut supposer que les élèves disposent dans leur langue d'une expression de sens équivalent.

Unité 4 Civilisation

Mariage : en blanc ou en couleur ?

• On commencera par un travail de repérage sur les photos. On demandera d'abord quel est le point commun entre toutes ces images. → La cérémonie du mariage (attention, on fera remarquer que le mot *mariage* n'a qu'un seul *r*).

• On relèvera les différences entre ces photos : les différences de couleur (on se marie rarement en rouge en Occident, par exemple ; le plus souvent, la mariée porte une robe longue blanche et le marié un costume sombre) ; les différences d'attitude.

• On peut demander aux élèves quelle photo ils préfèrent et pourquoi.

• On fera ensuite lire le petit texte introductif.

• *Qui se marie ?* → Une amie (une copine) de Vanessa. Une copine d'université.

• On reviendra sur la construction du verbe *se marier avec quelqu'un*. On peut introduire le verbe *épouser quelqu'un*, même si on le rencontre moins fréquemment.

• On fera ensuite lire le texte de Vanessa, puis on demandera :

– *Qui s'est mariée ?*
– *Où ?*
– *Elle était habillée comment ?*
– *Elle était heureuse ?*

• Il sera assez facile de trouver la photo correspondante (B), en procédant par élimination, même si tous les éléments de la description ne figurent pas sur l'image.

Suggestion d'activités complémentaires
Expression orale

– *Et chez vous, on se marie en blanc ou en couleur ?*
– *À quel âge ?*
– *Les mariages sont civils et/ou religieux ?*
– *Où se passe la réception (chez la mariée ? chez le marié ? dans un restaurant ? dans un hôtel ?)*
– *Qui fait des cadeaux ? Quels cadeaux, par exemple ? À quel moment ? Avant le mariage, le jour du mariage, après le mariage? Est-ce qu'on expose les cadeaux devant tout le monde ?*

Expression écrite

Vous êtes allé(e) à un mariage. Racontez la cérémonie à un ami français.

Familles, familles

• On fera observer les trois photos, puis on lira les cinq textes du forum une première fois.

• Puis on fera relire les textes en relevant dans chacun les informations essentielles.

2. A : Une femme + un homme + sa fille de 14 ans (on peut introduire le mot *belle-fille*) → L'image n°2 présente une femme avec une adolescente (on expliquera ce nom) difficile.

B : Une femme et ses deux filles + un homme et ses deux fils → de très bonnes relations.

C : Une femme seule + deux enfants → *c'est dur* (c'est-à-dire *compliqué, difficile*).

D : Un couple mixte (on expliquera que *mixte* signifie ici que les deux sont d'origine différente) + un bébé → L'image n°3 présente un homme et une femme d'origine différente.

E : Un couple + 2 enfants (une fille, un garçon) → une famille unie. L'image n°1 représente une famille de quatre personnes (le père, la mère, un fils, une fille).

3. Il s'agit d'associer un titre à l'un des témoignages du forum. Le professeur expliquera les mots inconnus (*mixité* ; *monoparentales* ; *famille recomposée*, etc.)

On devra ici encore faire un travail de repérage dans le texte :

a. Texte D (indice : le mot *mixité*)

b. Texte C (indices : *monoparentales* / *seule avec deux enfants* ; *tout n'est pas rose* / *c'est compliqué*)

c. Texte E (indices : *sérieux* / *très important* / *C'est pour toute la vie*)

d. Texte A (indice : *les enfants de l'autre* / *sa fille*)

e. Texte B (indice : l'expression *famille recomposée*)

Suggestion d'activité complémentaire

On demande de faire parler les personnages de l'image n°2 : *Qu'est-ce qu'elles disent ?*

Unité 4 Entraînement au DELF

Compréhension orale

1. Les élèves sont maintenant bien entraînés à ces exercices de discrimination auditive. On peut attirer leur attention sur la différence du nombre de syllabes, cela peut les aider. Par exemple, pour la phrase (2), les énoncés *À huit heures et demie* et *À six heures et demie, ça va* n'ont pas le même nombre de syllabes. Il en va de même pour la phrase (3) : *B 113* a trois syllabes ; *C 10* a deux syllabes seulement.

2. On demandera aux élèves d'indiquer les mots qui les ont mis sur la voie :

1. le café + le croissant → c'est l'univers du café ou du restaurant.

2. la gare + le bouquet → l'homme attend à la gare avec un bouquet.

3. Ici encore, on amènera les élèves à expliquer ce qui les a aidés. Par exemple : ***Mardi***, *ça te va ?* → *... non,* ***pas mardi*** ; ***C'est*** *ton frère ?* → *Non,* ***c'est***...

Compréhension orale et interaction écrite

4. On fera écouter le document au moins trois fois pour que les élèves complètent au fur et à mesure les indications :

- Qui parle ? → *Monsieur Dupin.*

- Il travaille où ? → *À Reims, dans une société de champagne.*

- Il veut parler à qui ? → *À Monsieur Dufour.*

- Pour lui dire quoi ? → *Il veut changer un rendez-vous.*

- Quel est son n° de téléphone ?

• On reviendra sur l'expression : *C'est de la part de...* (l'équivalent de l'anglais *on behalf of*). Ex. : *Je vous appelle de la part de ...*

• Une petite reprise des nombres (numéros de téléphone) sous forme de dictée rapide sera certainement bienvenue à la suite de cet exercice.

• On peut demander à chacun de donner en français son propre numéro de portable. On rappellera au passage qu'en France, on donne les nombres deux par deux, sauf pour les deux premiers (0-6).

Exemples :

a. 01 43 24 36 12 = zéro un / quarante-trois / vingt-quatre / trente-six / douze

b. 05 56 83 66 92 = zéro cinq / cinquante-six / quatre-vingt-trois / soixante-six / quatre-vingt-douze

Grammaire

5. Cet exercice permet de vérifier que les élèves connaissent bien le passé composé. Il faudra veiller à ce qu'ils utilisent l'auxiliaire qui convient et, le cas échéant, fassent les accords nécessaires.

On les incitera à se risquer un peu en proposant des énoncés plus personnels. On acceptera toutes les formulations pourvu qu'elles soient grammaticalement correctes. Par exemple : *Dimanche, elle est allée au théâtre (ou au concert) / elle a écouté* Cosi Fan Tutte. *Lundi, elle est allée dans les magasins / elle a fait des courses / elle a acheté des vêtements... Et le soir, elle est restée chez elle / elle a regardé la télévision/elle a vu un film. Mardi, elle est allée à Cannes / elle a pris le train pour Cannes...*

6. Comme pour tous les exercices de type « Reliez », on suggérera aux élèves de commencer par ce qui est le plus facile. Ici, par exemple :

b. un hamburger → une salade

c. mardi → jeudi

d. à pied → marcher

7. L'exercice n'est pas très facile. On proposera aux élèves de le faire à deux.

On s'arrêtera d'abord sur Alex = Alexis. On indiquera d'autres diminutifs très courants : Thomas → Tom ; Samuel → Sam ; Stanislas → Stan ; Sébastien → Séb ; Frédéric → Fred ; Maxime → Max ; Florence → Flo ; Béatrice → Béa, etc.

Puis on corrigera l'exercice avec les élèves en explicitant les réponses attendues.

1. La dame signe « Maman » et elle dit « mon chéri » Alexis est son fils.

2. On donnera si nécessaire le sens de P.S. (*post scriptum*) = on ajoute quelque chose.

3. *Qui doit venir ?* → Quelqu'un. *C'est un homme ou une femme ?* → On ne sait pas.

Quand ? → Entre 15 et 16 h, dans l'après-midi.

Pour quoi faire ? → Pour prendre un paquet. *Un paquet comment ?* → Un gros paquet bleu.

Qu'est-ce qu'il y a dans le paquet ? → On ne sait pas.

4. *Il doit appeler qui ?* → Son prof de yoga. *Pour quoi faire ?* → Pour changer l'heure de son rendez-vous.

5. *Pourquoi la mère ne peut pas être à la maison ?* → Elle a un rendez-vous. *C'est un rendez-vous de travail ?* → On ne sait pas.

Unité 4 Bilan actionnel

Dans cette Unité, les élèves ont appris à décrire une personne, son physique et sa personnalité. Ils ont aussi appris à parler de ceux qui les entourent (leurs amis, leur famille). Ils ont également appris à parler de leurs projets et à prendre rendez-vous avec quelqu'un à l'oral. Enfin, et c'est capital, les voilà capables de parler – un peu – d'événements passés (mais pas encore à faire des commentaires sur ces événements) !

• Les élèves ont toujours beaucoup de mal à oser parler dans une langue étrangère, ils ont peur de mal prononcer, peur que l'on se moque d'eux... Améliorer l'expression orale suppose de travailler intensivement la compréhension orale, trop souvent négligée alors qu'elle est à la base de tout apprentissage. On ne fait pas assez répéter. Or, c'est en imitant qu'on apprend : en imitant les mots, les intonations, la gestuelle... Bref, en devenant un peu français. Il faut absolument les placer dans un environnement bienveillant de travail, les accompagner dans leur apprentissage (surtout au niveau A1) pour que le français devienne un plaisir plutôt qu'une corvée.

• La question des liaisons est difficile, d'autant plus que, sauf pour les liaisons obligatoires et, dans une moindre mesure, pour les liaisons interdites (on ne dira pas *les z héros, mais on entend souvent « les z haricots »...), il semble que les Français laissent de plus en plus tomber les liaisons dans la langue de tous les jours. C'est donc essentiellement sur les liaisons obligatoires qu'il faut faire porter l'effort.

1. On travaillera sur l'emploi du temps d'Anthony et l'usage des verbes pronominaux au présent.

Les images sont à mettre dans l'ordre chronologique.

2. Parler de soi est le but de cet exercice.

Quel est votre chanteur préféré ? votre film préféré, votre type de musique préféré...?

3. C'est un exercice de compréhension orale.

On arrêtera l'écoute après chaque verbe au passé composé pour que les élèves puissent compléter l'exercice à trous.

Leçon 17 - Après les études

Objectifs fonctionnels :
- poser des questions et répondre à des questions sur ses projets professionnels, son parcours, ses études...

Objectifs grammaticaux :
- le verbe *vouloir* + infinitif
- le passé composé avec l'auxiliaire *avoir* (3)
- le passé composé avec l'auxiliaire *être* (1) : *aller, partir, venir...*

Vocabulaire :
- les études, le parcours universitaire, les diplômes

Phonétique/rythme/intonation :
- les voyelles nasales : [ã], [ɔ̃], [ɛ̃]

JE COMPRENDS ET JE COMMUNIQUE P. 104-105

Dialogue 1

• On lira le titre de la leçon : *Après les études*, qui peut être paraphrasé : *après l'université*.

• On introduira le système éducatif français qui est structuré en trois étapes :

- l'enseignement primaire (école maternelle et école élémentaire) ;

- l'enseignement secondaire (collège et lycée). La dernière année du lycée (la terminale) se termine par la passation du baccalauréat (ou *bac*). Il n'y a pas d'examen d'entrée à l'université ; il suffit d'avoir le baccalauréat. Certaines universités exigent cependant une mention *très bien* ou *bien* au bac.

- **l'enseignement universitaire** et ses examens de licence (bac + 3 ans) et de master (bac + 5 ans). Après le master, certains étudiants suivent une formation complémentaire plus spécialisée ou bien s'orientent vers la recherche et s'engagent alors dans la rédaction d'une thèse de doctorat (bac + 8 ans). Le système universitaire est souvent appelé le système LMD (= licence, master, doctorat) ou 3-5-8 (trois ans, cinq ans, huit ans).

Il y a aussi des grandes écoles, souvent accessibles sur concours.

• On observera la photo en haut à droite. On demandera aux élèves ce qu'ils voient. → On voit deux hommes : un jeune homme en costume (il porte une chemise et une cravate) et un homme avec des cheveux blancs (il porte une chemise bleue et des lunettes).

Remarque : La France reste un pays où, au niveau éducatif et dans le monde du travail, les personnes ont un seul domaine de compétence, contrairement aux pays anglo-saxons où le cursus professionnel des individus

est divers. Actuellement, il n'est plus rare de rencontrer des gens avec un double profil, avec des compétences multiples, c'est pourquoi nous avons choisi ce type de profil dans cette leçon. Ce jeune homme a d'abord eu un baccalauréat économique, il a été ingénieur informaticien et aimerait maintenant devenir vétérinaire.

• On se concentrera sur les verbes au passé composé du texte et on complétera au fur et à mesure des écoutes du dialogue en essayant de combler les « trous » dans l'information. Cette manière de procéder permettra de faire en même temps l'exercice de compréhension orale (**Écouter**). On demandera aux élèves de donner l'infinitif des verbes au passé composé :

- *J'ai fait* un master d'ingénieur informaticien → *faire* ;

- *J'ai eu* un poste dans une entreprise française → *avoir* ;

- *J'ai travaillé* → *travailler* ;

- *Vous êtes rentré* en France → *rentrer* ;

- *J'ai habité* → *habiter* ;

- *J'ai commencé* → *commencer* ;

- *J'ai aimé* → *aimer* ;

- *J'ai trouvé* → *trouver*.

• Que remarque-t-on ? → Un verbe est différent des autres : *rentrer*. Il fonctionne avec l'auxiliaire *être*. On pourra alors énumérer les 12 autres verbes qui sont dans le même cas (au total 13 verbes) :

naître - aller - arriver - retourner - monter - descendre - (r) entrer - sortir - tomber - venir - rester - demeurer - mourir.

• À la fin du dialogue, on demandera aux élèves quelle est, selon eux, l'offre de travail à laquelle le jeune homme postule. → Probablement assistant vétérinaire ou un travail en rapport avec les animaux.

Document 2

• On découvre ici trois offres d'emploi parues sur Internet : une offre pour être professeur d'anglais, une offre d'emploi d'informaticien et une autre pour devenir vendeur d'automobiles.

Avec le cursus du jeune homme du dialogue 1 et la nouvelle voie qu'il entreprend, quel poste lui conviendrait le mieux ? On divisera la classe en petits groupes et on fera argumenter la réponse à **Communiquer**.

Écrire

On travaillera en amont sur le vocabulaire et on répondra aux questions des élèves avant de les laisser faire seuls l'activité écrite.

Je prononce
Les voyelles nasales

Ces phonèmes sont difficiles car ils n'existent pas dans la plupart des langues de nos apprenants. Pour commencer, on travaillera séparément les trois sons en insistant sur la position des lèvres :

– [ɔ̃] → *des cheveux longs – des cheveux blonds – ils sont blonds* ;

– [ɑ̃] → *les parents et les enfants – des vacances intéressantes* ;

– [ɛ̃] → *il vient – la main – le pain – le vin – rien.*

J'APPRENDS ET JE M'ENTRAÎNE P. 106- 107

Grammaire

Le verbe *vouloir*

Comme le verbe **pouvoir**, le verbe *vouloir* se prononce de la même façon aux trois personnes du singulier : *je veux / tu veux / il veut* = [**vø**] (comme *je peux / tu peux / il peut* [**pø**]).

Attention, au pluriel, la voyelle se modifie → *ils veulent* [**vœl**], comme pour le verbe *pouvoir* : [**pœv**].

Le passé composé avec l'auxiliaire être

On insistera sur l'accord entre le sujet et le participe quand l'auxiliaire est *être* : *Elles sont venues – Ils sont partis ensemble, ils sont allés au cinéma...*

Exercices et activités

1. L'exercice n'est pas facile, il demande beaucoup d'attention. On fera écouter deux fois, la deuxième fois pour que les élèves vérifient leurs réponses. Puis, après la correction, une troisième fois, phrase après phrase.

2. Il s'agit de passer du présent au passé composé. On attirera l'attention des élèves sur le choix de l'auxiliaire et aux accords sujet /participe passé avec l'auxiliaire *être* (*elle est partie* ; *ils sont allés*).

3. Attention, l'exercice n'est pas très facile. On demandera aux élèves de le faire deux par deux. On acceptera toutes les formulations plausibles (par exemple : *Vous vous appelez... ? Vous vous appelez comment ? Vous êtes Mademoiselle...? Quel est votre nom ? etc.*).

4. Thomas est un jeune homme qui a beaucoup de rêves. On s'aidera des images pour employer la construction *vouloir* + nom ou *vouloir* + infinitif.

5. À partir du CV de Delphine Legoff, on la présentera. On fera faire ce travail par groupes de trois personnes en passant dans la classe pour aider les élèves.

Leçon 18 – France, Japon, Canada, États-Unis

Le texte de cette leçon ne se présente pas tout à fait comme les autres car il revêt la forme d'un entretien.

Objectifs fonctionnels :
- poser des questions et répondre à des questions sur son passé (2)

Objectifs grammaticaux :
- le passé composé avec l'auxiliaire *avoir* (4) et *être* (2)
- *depuis / pendant*
- prépositions et noms de pays (1)

Vocabulaire :
- les voyages, les pays étrangers

Phonétique/rythme/intonation :
- les sons [ʃ] et [ʒ] : *chanter / les gens*

JE COMPRENDS ET JE COMMUNIQUE P. 108-109

Document 1

• On travaillera sur les photos, d'abord sur celle du steward (Sébastien Marchand) et les « images symboles » en dessous du texte : le maneki-neko, le chat porte-bonheur du Japon, le drapeau canadien appelé Unifolié avec sa feuille d'érable, les lettres Hollywood situées sur la colline de Los Angeles, l'Inde avec ses épices et son Taj Mahal et un passeport rempli de tampons des services de l'immigration.

• On reviendra en détail sur la photo du personnage. *À votre avis, où est-il ? Qu'est-ce qu'il fait comme travail ?* On demandera de justifier ses réponses. Le terme anglais *steward* apparaîtra peut-être ; on acceptera aussi : *Il travaille dans les avions ; il travaille dans une compagnie d'aviation ; il travaille à Air France ; il travaille à l'aéroport...*

• On écoutera ensuite l'ensemble du texte deux fois.

• Puis on reprendra le début du dialogue par un jeu de questions/réponses.
- *Quel est son prénom ?* → Sébastien.
- *Quel est son nom ?* → Marchand.
- *Quelle est sa nationalité ?* → Il est français. ou bien *Il est français ?* → Oui, il est français.
- *Il est né en quelle année ?* → Il est né en 1982.
- *Quelle est sa profession ?* → Il est steward.
- *Il travaille pour quelle compagnie, Air France ? Easy Jet ?* → On ne sait pas.
- *Il est steward depuis longtemps ?* → Depuis deux ans.
- *Est-ce qu'il aime son travail ?* → Oui, il adore ça.
- *Pourquoi il a de la chance ?* → Parce qu'il voyage très souvent et il aime voyager.
- *Et vous, vous pensez qu'il a de la chance ? Qu'est-ce*

qui est bien dans le travail d'un steward ? (On peut donner le mot *les avantages*.) *Qu'est-ce qui n'est pas bien ?* (On donnera le mot *les inconvénients*). On peut faire deux listes au tableau : le professeur écrira sous la dictée des élèves.

• On lira : *Les voyages sont fatigants mais la semaine dernière, je suis resté trois jours au Japon, c'est un pays incroyable !* Les élèves ont déjà vu l'adjectif *fatigué* à la leçon 13 (*Je suis fatiguée, je voudrais dormir encore un peu.*)

Attention, les élèves confondent souvent *fatigant* et *fatigué*. On reprendra : *Les voyages, c'est fatigant. Il est fatigué.*
J'ai dansé toute la nuit : c'est fatigant. → *Je suis fatigué(e)*.

• *Pourquoi son travail est fatigant ?* → Il voyage beaucoup. Il est steward sur des vols long-courriers (ex. : Paris-Tokyo ; Melbourne-Londres ; New York-Le Caire...). Il reste deux ou trois jours dans un pays, puis il rentre à Paris, reste deux ou trois jours et repart dans un autre pays. On expliquera qu'il peut souffrir du décalage horaire (*jet lag*)...

• *Il est allé où la semaine dernière ?* → Au Japon. *Et la semaine prochaine ? Lundi prochain ?* (On rappellera d'un geste de la main *la semaine prochaine ; la semaine dernière*). → Il part au Canada et aux États-Unis.

On vérifiera la bonne compréhension du dialogue avec l'activité **Écouter** et on travaillera en détail sur la conjugaison des verbes au passé composé avec l'activité **Comprendre**. Pour pratiquer à l'oral, on parlera de ses dernières vacances à deux ou en groupes avec **Communiquer**.

Écrire

• L'exercice est assez différent de ce qui est proposé habituellement dans cette rubrique. Il s'agit de deviner l'identité d'un personnage dans un portrait écrit à la première personne du singulier. On lira les quelques lignes, puis on donnera les verbes suivants avec leurs formes au passé composé :

- *naître* → *je suis né(e)* ;

- *vivre* → *j'ai vécu* ;

- *mourir* → *je suis mort(e)*.

• Différents indices sont donnés pour que les élèves devinent assez facilement qu'il s'agit de Pablo Picasso : les dates (1881-1973) ; les pays : Espagne, France ; les métiers : peintre, décorateur, sculpteur ; le tableau le plus célèbre : *Guernica*.

• Cet exercice peut donner lieu à bien d'autres devinettes portant sur des gens universellement célèbres (Gandhi, Napoléon, Jeanne d'Arc, la reine Victoria,

Barack Obama...), ce qui permettra de réemployer les passés composés. On peut imaginer écrire sur de petits papiers avec, en termes très simples, les principaux événements de la vie de quelqu'un : *je suis né en..., j'ai vécu en..., j'ai été..., je suis mort en...* Un élève tire un papier, le lit ; les autres doivent deviner de qui il s'agit.

Je prononce

Les sons [ʃ] et [ʒ] sont difficiles à distinguer ; le mieux est peut-être de faire faire le test du bourdonnement d'oreilles : on demande aux élèves de se boucher les oreilles et de prononcer *ch ch ch ch ch* → il n'y a pas de bourdonnement d'oreilles. S'ils font ensuite *je je je je je*, les oreilles bourdonnent.

Voici un autre test facile à faire : les élèves placent leur main sur la gorge : s'ils prononcent *ch ch ch ch ch ch* (comme dans *chut*), il n'y a aucune vibration. S'ils prononcent *je je je je je je*, on sent nettement une vibration.

J'APPRENDS ET JE M'ENTRAÎNE P. 110-111

Grammaire

Le passé composé

• On continue à explorer ce temps :

– avec des verbes conjugués avec l'auxiliaire *avoir*, par exemple *être* → *j'ai été* ; *vivre* → *j'ai vécu* ;

– avec des verbes conjugués avec l'auxiliaire *être*, par exemple *naître* → *je suis né* ; *mourir* → *il est mort*.

La différence entre *depuis* et *pendant*

• *Depuis* signifie que l'action continue au moment où l'on parle. Ex. : *Il est parti depuis huit jours.* (sous-entendu : il n'est toujours pas revenu.)

Je ne l'ai pas vu depuis un mois. (sous-entendu : au moment où je parle, je ne l'ai toujours pas vu.)

Après *depuis*, on peut avoir :
– une date
ex. : *Je le connais depuis 2003/depuis le 25 décembre dernier...*
– une durée
ex. : *Je le connais depuis un an/deux jours/longtemps...* ;
– un événement, un fait
ex. : *Je le connais depuis mon voyage au Nigeria/ depuis son mariage/depuis mon master...*

• *Pendant* suppose que la durée considérée est limitée dans le temps. Ce peut être un temps présent, un temps passé ou un futur. Ex. : *Ce matin, j'ai travaillé pendant cinq heures.* (par exemple entre 7 h et 12 h) *Ils ont vécu en Grèce pendant trois ans.* (par exemple en 2009, 2010 et 2011). *Je vais partir en vacances pendant huit jours.* (par exemple, du 15 au 22 avril)

> Remarque : le mot *pendant* est souvent supprimé (ex. : *Ils ont vécu en Grèce trois ans. / Je vais partir en vacances huit jours.*).

Prépositions et noms de pays

• On rappellera d'abord que tous les noms de pays ont un article (sauf rares exceptions) : *le Brésil, la Colombie, l'Italie, les Pays-Bas.* Et qu'il faut toujours apprendre ensemble l'article et le nom de pays. On fera remarquer quelques phénomènes « contre-intuitifs » :

– les noms de pays qui se terminent par *-a* sont tous masculins (*le Canada, le Nigeria, le Rwanda, le Ghana...*) ;

– les noms de pays qui se terminent par *-e* sont féminins mais attention, il y a quelques exceptions : *le Mexique, le Cambodge, le Zimbabwe...*

• Si les élèves sont curieux et veulent savoir pourquoi certains pays sont privés d'article, on leur donnera une liste : *Cuba – Singapour – Chypre – Madagascar – Malte...* Qu'est-ce que ces différents lieux ont en commun ? → Ce sont tous des îles-États. Mais cette règle a de nombreuses exceptions (la Grèce, par exemple). On se bornera dans cette leçon à travailler sur le lieu où l'on est et le lieu ou l'on vit : *Je vis en Allemagne, je vais en Chine.* On abordera plus tard la question de la provenance (*je viens du Brésil, j'arrive de Cuba...*).

Exercices et activités

1. L'exercice est difficile même si les élèves en connaissent maintenant très bien le principe. En effet, les différences entre les deux propositions sont très légères. On fera écouter deux fois puis une troisième après la correction.

2. *Depuis, il y a, pendant, pour...* sont autant de mots faciles à confondre. Ici, on ne traitera que la différence entre *depuis* (l'action continue dans le présent) et *pendant* (on considère la période dans son entier, dans sa globalité). Par exemple : *Ils sont en Espagne depuis deux semaines.* (on sous-entend qu'ils y sont encore au moment où l'on parle.) / *J'ai travaillé pendant deux heures ; je pars pendant un mois.*

3. Cette activité de compréhension écrite est un peu difficile mais intéressante car assez réaliste (il s'agit d'un mini-CV et d'une demande d'emploi). On demandera aux élèves de lire les questions avant d'aborder le texte, puis de répondre. Ensuite chacun comparera ses réponses avec celles de son/sa voisin(e), avant la correction collective.

4. À travers cet exercice d'emploi des verbes au passé composé, on présenter Serge Gainsbourg, chanteur français qui a marqué son époque par son talent et son charisme. Le travail de passage à l'écrit demande aux élèves de relire au préalable ce qui concerne les verbes au passé composé. Parfois, deux solutions sont possibles (ex. : *Serge Gainsbourg a été auteur-compositeur-chanteur / il est devenu auteur-compositeur-chanteur ; il a rencontré Jane Birkin / il a connu Jane Birkin*). On acceptera tout ce qui a du sens.

Leçon 19 - Ah, les vacances...

Dans cette leçon, il est question du temps mais cette fois du temps qu'il fait, de la météo, du climat, des saisons... On peut choisir d'étudier le dialogue avant d'analyser les photos.

Objectifs fonctionnels :
- parler des saisons, parler du temps qu'il fait
- raconter ses vacances

Objectifs grammaticaux
- quelques verbes impersonnels (*il pleut, il neige...*)
- le passé composé des verbes pronominaux
- *C'est* + adjectif masculin (*C'est beau, la Bretagne !*)
- les pronoms toniques (révision)
- *tout(e), tous, toutes* (révision)

Vocabulaire :
- le temps qu'il fait
- les saisons
- les vacances, les activités de loisirs

Phonétique/rythme/intonation :
- révision des voyelles nasales : [ã], [ɔ̃], [ɛ̃]

JE COMPRENDS ET JE COMMUNIQUE P. 112-113

Dialogue 2

• Ce dialogue est un peu long. Il semble préférable de le travailler en deux parties d'abord puis de procéder à deux ou trois écoutes du dialogue en entier à la fin de la séance.

• Le titre indique que l'on va parler des vacances. Les élèves connaissent le mot depuis longtemps (leçon 5). On peut, avant de commencer l'écoute, leur demander : *Où vous allez en vacances ?* ou *Vous êtes allés en vacances où, l'année dernière ?*

• Puis on écoutera deux fois la première partie.
A. - *Bonjour, madame Lepic, vous rentrez de vacances ? Vous êtes bronzée !*
- *Oui, je suis partie sur la Côte d'Azur, près de Cannes. Il a fait chaud et on a eu beaucoup de soleil. Je me suis baignée tous les jours.*

• On relancera avec un jeu de questions-réponses :
- *Nous sommes en janvier ? En septembre ? En mars ?*
→ Plutôt début septembre, juste après les vacances d'été. Madame Lepic revient de vacances.

- *Madame Lepic est bronzée ?* → Oui, elle rentre de vacances, elle est toute bronzée. Le ton admiratif de la dame nous permet de comprendre qu'elle fait un compliment.

Remarque : En Europe, *être bronzé*, c'est avoir bonne mine, c'est être en bonne forme. Pour beaucoup des apprenant(e)s auxquel(le)s nous nous adressons, cela

ne va pas de soi. En France, on ne verra jamais personne se promener avec une ombrelle pour éviter de bronzer. Au contraire, dès que les beaux jours reviennent, les terrasses des cafés sont pleines de gens exposant leur visage aux premiers rayons du soleil.

• *Elle est partie en vacances où ?* → Sur la Côte d'Azur, près de Cannes. On montrera sur la carte de France p. 159 la ville de Cannes. Les élèves connaissent peut-être le Festival de Cannes (chaque année en mai) et la Croisette, les plages surpeuplées, la mer Méditerranée très bleue, les îles de Lérins, les yachts magnifiques, le grand soleil.... Sur la Côte d'Azur, l'été, il fait toujours beau et chaud. Il y a beaucoup de soleil. On peut expliquer que Cannes est une ville chic et très chère et que Madame Lepic était en vacances près de Cannes.

• *Qu'est-ce qu'elle a fait ?* → Elle est allée à la plage. Elle s'est baignée tous les jours.

• Dans la phrase *On a eu beaucoup de soleil,* on peut se demander qui est *on.* → Les gens qui étaient en vacances sur la Côte d'Azur, ou plus sûrement elle et les personnes qui l'accompagnaient. On pourrait dire aussi : *Il y a eu beaucoup de soleil.*

• On fera paraphraser cette partie du dialogue sous forme de récit. Ex. : *Nous sommes en septembre. Les vacances sont finies. Madame Lepic est toute bronzée, elle est allée sur la Côte d'Azur pendant les vacances. Il a fait très beau et elle s'est baignée tous les jours.*

• On écoutera ensuite deux fois la seconde partie.
B. - *Et vous, madame Le Goff, vous êtes allée où ?*
- *En Bretagne, comme d'habitude ! Moi, j'adore la chaleur, mais mon mari déteste ça, alors... Ses parents habitent là-bas, nous sommes allés chez eux. Il a plu deux ou trois jours et il a fait froid. Nous avons fait du vélo. Nous avons fait aussi du bateau. Nous avons mis les écharpes et de grosses chaussures. C'est beau, la Bretagne, mais ça suffit... sur toutes les photos de vacances, nous sommes en bottes et avec un para-pluie ! L'an prochain, avec lui ou sans lui, je pars au soleil et avec mes sandales !*

• On relancera :
- *Madame Le Goff est partie en vacances aussi ?* → Oui. *Où ?* → En Bretagne. Tous les ans, Monsieur et Madame Le Goff vont en Bretagne.

- *Elle aime la Bretagne ?* → Hum... Oui et non. Elle adore la chaleur mais son mari déteste ça.

- *Pourquoi elle est allée en Bretagne ?* → Parce que les parents de son mari habitent là-bas. Ils vont les voir. Ils ont passé les vacances chez eux, en Bretagne. On montrera sur la carte où se situe la Bretagne. À l'aide de quelques photos, on expliquera que c'est une région réputée pour son climat pluvieux.

- *Est-ce qu'il a beaucoup plu ?* → Non, deux ou trois jours seulement.

– Est-ce qu'il a fait froid ? → Oui, ils ont mis les écharpes et de grosses chaussures.

– *Ils se sont baignés ?* → On ne sait pas. Peut-être.

– *Qu'est-ce qu'ils ont fait ?* → Ils ont fait du vélo, du bateau. Ils ont passé des vacances tranquilles.

– *Elle est contente de ses vacances ?* Oui et non. Elle voudrait changer un peu. Qu'est-ce qu'elle dit ? *C'est beau, la Bretagne, mais ça suffit. (Ça suffit = Stop !).*

– *Et l'année prochaine ?* → Elle veut partir au soleil. Elle adore la chaleur.

– *Elle va partir avec son mari ?* → Avec ou sans lui, elle veut partir !

• On fera réécouter l'ensemble du dialogue deux fois (voire trois si nécessaire) avant de passer à l'exercice de compréhension orale/passage à l'écrit **Écouter**. On demandera aux élèves d'essayer de compléter les phrases sans regarder le texte du dialogue puis de vérifier leurs réponses avec le texte.

Document 1

• On pourra ensuite introduire les trois photographies. Elles représentent trois villes françaises : Nancy, qui se trouve dans l'Est de la France, Marseille dans le Sud et Brest dans l'Ouest. On les situera sur la carte de la France p. 159.

Sur les différentes photos, il fait quel temps ? → Il pleut, il fait froid, il a neigé, il fait chaud…

Comprendre

Les élèves répondront aux questions en groupes de deux ou trois (sans exiger qu'ils reprennent toutes les données du dialogue).

Communiquer

• On demandera ensuite aux élèves de jouer les scènes de cette activité deux par deux. *Aujourd'hui, il fait quel temps ? Et hier, il a fait quel temps ? Il a plu ? Il a fait froid ? Ici, il neige souvent ?*

On peut aussi enrichir un peu le vocabulaire :

– *pleuvoir* → *il pleut, il a plu* → *la pluie*

– *neiger* → *il neige, il a neigé* → *la neige.*

Pour dire quel temps il fait, les élèves pourront s'aider des images : *un parasol + des lunettes de soleil + des sandales* (ou *tongs*) */ une écharpe + des chaussettes / un parapluie + des bottes.*

Il va **peut-être** *neiger !* On s'arrêtera sur *peut-être.* → *Il va neiger ? Peut-être !* (avec un geste de la main) = c'est possible. Le ciel est gris, il fait froid → il ne neige pas, mais il va peut-être neiger bientôt.

Écrire

Les élèves pourront ici évoquer leurs propres vacances.

Je prononce

Encore une fois, nous insistons dans cette leçon sur les voyelles nasales, d'abord prises séparément puis

ensemble. Il faudra reprendre les explications données précédemment quant à la position des lèvres.

J'APPRENDS ET JE M'ENTRAÎNE P. 114-115

Grammaire

Les verbes pronominaux au passé composé

• Ils se conjuguent tous avec l'auxiliaire *être*. Ex. : *je me suis baigné(e)/ je me suis reposé(e)/ je me suis promené(e)…*

Dans la leçon 13, les élèves ont travaillé sur les verbes pronominaux en racontant ce qu'ils faisaient tous les matins (*je me lève, je me douche…*). On peut reprendre cet exercice en leur demandant : *Qu'est-ce que vous avez fait ce matin, dans l'ordre ?* → *À sept heures, je me suis réveillé(e)…* Les élèves savent déjà qu'il faut accorder le sujet et le participe lorsqu'il y a l'auxiliaire *être* mais il faudra le leur rappeler. Ex. : *Madame Lepic s'est baignée. – Ils se sont reposés en Bretagne.*

Les verbes impersonnels

Les élèves ont déjà rencontré deux verbes impersonnels : *il y a* et *il faut*. On rappellera que *il* est ici un sujet « vide ». On utilise souvent cette forme verbale pour parler de la météo : *il pleut, il neige, il fait froid, il fait chaud, il fait beau, il fait mauvais, il fait doux, il fait un peu frais…* Attention, on dit : *il pleut* mais jamais *le ciel pleut ou **le temps pleut.*

Les pronoms toniques

• Bon nombre d'apprenants font la confusion entre *ils* et *eux*. Cette erreur est facile à comprendre. En effet : Elle habite en Bretagne, on va chez elle, elles habitent en Bretagne, on va chez elles. D'où l'erreur : Ils habitent en Bretagne, on va *chez ils.

Il faut rappeler une fois encore la différence entre pronom sujet et pronom tonique :

– *Je vais au cinéma. Pierre vient avec moi.*

– *Tu vas au cinéma. Pierre vient avec toi.*

– *Il va au cinéma. Pierre vient avec lui.*

– *Elle va au cinéma. Pierre vient avec elle.*

– *On va au cinéma. Pierre vient avec nous.* (et non **avec on !*)

– *Nous allons au cinéma. Pierre vient avec nous.*

– *Vous allez au cinéma. Pierre vient avec vous.*

– *Ils vont au cinéma. Pierre vient avec eux.*

– *Elles vont au cinéma. Pierre vient avec elles.*

On fera remarquer aux élèves qu'ils n'auraient jamais l'idée de dire : *On va chez je ou **on va chez tu ?*

C'est + adjectif

• Il n'est pas inutile de rappeler que dans cette structure, l'adjectif est toujours masculin singulier (quel que soit le genre du sujet « réel »). C'est une autre erreur récurrente chez tous les apprenants. Ex. : *Le sport, c'est bon pour la santé. L'histoire, c'est intéressant. L'économie, c'est difficile, mais c'est passionnant. L'Ile de la Réunion, c'est très beau.*

Exercices et activités

1. Attention aux verbes pronominaux (phrases **c.** et **d.**). Cet exercice permet une révision des passés composés avec *avoir* et avec *être* (et des accords si nécessaire).

2. Attention, l'exercice est difficile. D'abord, on fera écouter deux fois l'enregistrement puis une troisième fois pour vérifier ses réponses. Ensuite, on corrigera collectivement. Enfin, on demandera de regarder sur la carte où se situent les principales villes citées. Pour aller plus loin, on pourrait demander aux élèves dans quelle ville ils aimeraient vivre et pourquoi.

3. Il s'agit de récapituler l'ensemble de ce qui a été vu : *il fait beau, froid, chaud ; il pleut, il neige ; il y a de la pluie, du soleil...* On peut demander aux élèves de présenter oralement ce bulletin météo. C'est un exercice un peu difficile mais amusant. Dans tous les pays, on présente la météo à la télévision, mais on le fait sous des formes très variées. L'idéal serait d'enregistrer un bulletin météo à la télévision française sans le son et de demander aux élèves de « coller » dessus un commentaire. On pourrait aussi leur montrer un ou deux exemples de bulletin météo sur France 2 ou France 3 et leur demander en quoi la manière de présenter la météo en France diffère de celle de leur pays (*Présentateur ou présentatrice plutôt sérieux ou plutôt sexy ? Quelle est la gestuelle ? Parle-t-on seulement du pays ou de la région ?*).

4. On fera faire ce travail à deux (lire la lettre venant du Canada, répondre aux questions puis rédiger une carte sur le même modèle). On peut éventuellement distribuer aux élèves de véritables cartes postales (par exemple, les cartes que l'on trouve gratuitement dans certains cafés de grandes villes françaises).

Leçon 20 - Quand commencent les cours ?

C'est essentiellement une leçon de révision : révision du passé composé, révision des prépositions avec les noms de pays. Par ailleurs, cette leçon devrait permettre aux élèves de parler un peu plus précisément de leur quotidien et de leurs attentes dans leur vie.

> **Objectifs fonctionnels :**
> - parler d'événements passés (suite)
> - expliquer ce qu'on fait comme études
> - parler de l'université
>
> **Objectifs grammaticaux :**
> - révision du passé composé
> - prépositions et noms de pays (2)
>
> **Vocabulaire :**
> - les études, le cursus universitaire, les échanges universitaires
>
> **Phonétique/rythme/intonation :**
> - les sons [s] et [z]

JE COMPRENDS ET JE COMMUNIQUE P. 116-117

Comme dans la leçon précédente, on étudiera d'abord le dialogue 2 avant le document 1.

Dialogue 2

• On fera écouter deux fois l'enregistrement en entier pour préciser la scène.

- *Ils sont étudiants en quoi ? en droit ? en littérature ? en sciences ?* → On ne sait pas.

- *Ils sont dans la même classe, dans le même cours ?* → Oui. On expliquera que la scène se passe au mois de février, au début du deuxième semestre.

• On écoutera ensuite le dialogue en deux parties :

A. - *Salut ! C'est ton premier cours ici, non ?*
- *Ben oui, j'arrive du Portugal. J'ai fait le premier semestre à Lisbonne, avec Erasmus. Je continue ici. Et toi ?*
- *Moi, j'ai passé l'année dernière à Londres. Je me suis bien amusée et... bien sûr, j'ai raté mes examens en juin. Pendant l'été j'ai travaillé. Heureusement, j'ai réussi en septembre.*

• On demandera :
- *Le premier étudiant, il a fait son premier semestre où ?* → À Lisbonne, au Portugal. Il était sans doute dans un programme d'échanges universitaires Erasmus. Il vient de rentrer de Lisbonne. Il va faire son deuxième semestre en France.
- *Et la jeune fille ?* → Elle a fait son premier semestre en France, mais l'année dernière, elle a passé une année à Londres, en Angleterre.

- *Qu'est-ce qu'elle a fait à Londres ?* → Elle s'est beaucoup amusée. *Par exemple ?* → Elle est allée dans les discothèques, dans les pubs, elle est allée voir des concerts, dans des soirées... Elle n'a pas beaucoup travaillé.
- *Et alors ?* → Elle n'a pas beaucoup travaillé, elle n'a pas réussi ses examens.
- *Et alors ?* → Elle a travaillé tout l'été, elle a repassé ses examens en septembre. Et elle a réussi.

• À la fin de la deuxième écoute, les élèves rempliront les informations demandées dans l'exercice **Écouter** sur les deux protagonistes.

• On pourra faire ici un point de civilisation sur les études universitaires en France. On expliquera un peu comment se passent les examens. Dans presque toutes les universités, on fonctionne par semestre. Chaque semestre comporte entre 12 et 15 semaines de cours :
- premier semestre : de septembre ou octobre à décembre ou janvier → examens du premier semestre (en janvier) ;
- deuxième semestre : de février à mai → examens du deuxième semestre (en juin) ;
- en septembre/octobre, il y a la deuxième session : les étudiants qui ont raté leurs examens peuvent les repasser (c'est le « rattrapage »).

• On reviendra sur les programmes d'échanges universitaires. Le plus connu est le programme Erasmus (déjà vu à la leçon 4) qui concerne les pays européens (les pays de l'Union européenne + quelques autres pays). Les étudiants peuvent faire un semestre ou deux semestres dans une université étrangère partenaire. Ils suivent les mêmes cours que les autres étudiants avec, en plus, des cours pour se perfectionner dans la langue du pays d'accueil. Ils passent les mêmes examens et, à leur retour, ces examens sont validés (si réussis) dans leur université d'origine.

• On passera à la deuxième partie du dialogue.
B. - *Et ici, le premier semestre, ça s'est bien passé ?*
- *Oui, ça va. Les profs sont sympas. Et Lisbonne, c'est comment ?*
- *Très, très bien... Je vais passer les vacances de printemps là-bas.*
- *Ah, ah ! Tu as une copine à Lisbonne, toi !*
- *Exactement.*

• *Ça s'est bien passé ?* est une expression extrêmement courante. *Tout s'est bien passé, il n'y a pas eu de problème.* Autres contextes possibles : *Alors, ton examen, ça s'est bien passé ? Et vos vacances, ça s'est bien passé ? Et votre voyage, ça s'est bien passé ?*

• *Les profs sont sympas.* On pourra faire un petit point sur des abréviations très courantes : *une info (information) - une expo (exposition) - un restau (restaurant) - la fac (la faculté, l'université) - un exam (examen) - un appart' (appartement) - la météo (météorologie)...*

• *Et Lisbonne, c'est comment ?* On rappellera : *Elle est comment ?* (Leçon 8) C'est une question large, qui concerne l'atmosphère, les loisirs, la vie quotidienne... La réponse est aussi vague que la question : *Très bien.*

• *Les vacances de printemps* : On expliquera que les élèves et les étudiants ont deux semaines de vacances au moment de Noël et deux semaines aux alentours de Pâques, en avril. On en profitera pour indiquer que le terme *étudiant(e)* ne peut pas s'utiliser avant l'université. Avant le bac, on utilise le mot *élève*. On peut donner l'ensemble des termes :

à l'école primaire	un écolier / une écolière
au collège	un collégien / une collégienne
au lycée	un lycéen / une lycéenne
à l'université ou en école supérieure	un étudiant / une étudiant

• *Ah, ah ! Tu as une copine à Lisbonne, toi !* Ici, le mot *copine* (attention : *un copain / une copine*) a le sens de « petite amie ». C'est grâce à l'intonation que l'on comprend le sous-entendu.

• *Exactement* = C'est vrai (déjà vu en Leçon 9).

• À la fin du dialogue, on demandera enfin aux élèves si, dans leur pays, de tels programmes d'échanges existent et, si oui, s'ils peuvent les présenter à la classe.

Communiquer

• En groupes de deux ou trois élèves, ils parleront de leur expérience à l'étranger.

Document 1

• On fera commenter l'image. *Que voit-on ?* → C'est une publicité / affiche pour une école de danse.

– *Où se trouve-t-elle ?* → À Paris.

– *Dans quel arrondissement ?* → Le quatrième (75 00**4**)

– *Combien de type de cours y a-t-il ?* → *Il y a 4 types de cours de danse : danse classique, danse jazz, danse rock'n'roll, gym danse.*

– *Que pensez-vous de la philosophie de l'école ?*

• On fera ensuite compléter l'activité **Comprendre**.

Écrire

Les élèves devront rédiger quelques lignes sur leur cours préféré au collège, au lycée ou à l'université.

Je prononce

Les sons [s] et [z]

On fera, ici encore, les deux tests de bourdonnement d'oreilles et vibration de la gorge :

– avec le son [**s**], si l'on se bouche les oreilles, pas de bourdonnement ; si l'on place sa main sous le menton, pas de vibration ;

– avec le son [**z**], si l'on se bouche les oreilles, on entend un bourdonnement très net ; si l'on met sa main sur le cou, sous le menton, on sent une vibration.

J'APPRENDS ET JE M'ENTRAÎNE P. 118-119

Grammaire

Noms de pays et prépositions

On a vu à la leçon 18 les prépositions indiquant le lieu où l'on est ou le lieu où l'on va avec les noms de pays. On rappellera brièvement les règles :

– tous les noms de pays, sauf quelques exceptions, demandent l'article défini : *le, la, l', les* ;

– tous les noms de pays terminés en -*a* sont masculins (ex. : *le Canada*) ;

– presque tous les noms de pays terminés en -*e* sont féminins (sauf *le Mexique, le Cambodge*...).

Prépositions + noms de pays (lieu où on est / lieu où l'on va) :

– *en* + noms de pays féminins ou commençant par une voyelle. Ex. : *J'habite en Égypte, en Corée, en Iran, en Ouganda... Il va en Irlande, en France, en Afghanistan, en Uruguay...*

– *au* + noms de pays masculins. Ex. : *J'habite au Portugal, au Brésil... Je vais au Japon, au Canada...*

– *aux* + noms de pays pluriels. Ex. : *J'habite aux États-Unis. Je vais aux Pays-Bas.*

– *à* + noms de pays sans article (et villes). Ex. : *J'habite à Cuba, à Madagascar... Je vais à Singapour, à Chypre... J'habite à Tokyo... Je vais à Séoul...*

Prépositions + noms de pays (lieu d'où l'on vient)

• On voit dans cette leçon les prépositions indiquant la provenance : *venir de, d', du, des...*

– *de/d'* + noms de pays féminins ou commençant par une voyelle. Ex. : *Je viens de France, d'Irlande, d'Arabie Saoudite...*

– *du* + noms de pays masculins. Ex. : *Je viens du Portugal, du Brésil...*

– *des* + noms de pays pluriels. Ex. : *Je viens des Pays-Bas.*

– *de/d'* + noms de pays sans article (et villes)

Je viens de Singapour, de Chypre... Je viens de Pékin, j'arrive d'Athènes...

Un an ou une année

Voila un casse-tête bien connu de tous les apprenants.

• *an* donne une idée de « comptabilité » : *deux ans, dix ans, vingt ans*, sans qualification, sans « couleur », sans précision quant au contenu de ce temps.

• *année* indique que l'on donne une substance, un contenu à cette période, qu'on la qualifie.

On fera comparer :

– *J'ai passé un an à Londres. / J'ai passé une année merveilleuse à Londres.*

– *La guerre a duré dix ans. / La guerre a duré dix longues années.*

> Remarques : Attention à l'exception : *l'an dernier* = l'année dernière – *l'an prochain* = l'année prochaine

Les Français ne font pas de différence dans ce cas. Les élèves demanderont peut-être si la règle est la même pour *matin, matinée* et *soir, soirée*. Ce n'est pas exactement le cas : *matinée* insiste davantage sur la durée que le mot *matin* (ex. : *j'ai travaillé toute la matinée*) et *soirée* insiste plutôt sur le côté exceptionnel de la soirée : si je quitte quelqu'un qui rentre simplement chez lui, je dirai seulement *Bonsoir* ! (je le salue simplement). Si je sais qu'il va dîner au restaurant, qu'il va danser... bref, qu'il sort, qu'il va faire quelque chose d'un peu exceptionnel, je dirai plutôt *Bonne soirée* (je lui souhaite une bonne soirée).

Exercices et activités

1. Les élèves aiment toujours connaître le français parlé ou le français courant. On se contente ici d'abréviations très communément admises.

2. On leur suggérera, comme d'habitude dans ce type d'exercice, de commencer par ce qui est le plus facile : *heure → midi* ; *jour → mercredi* ; *avec eux → tout seul...*

3. L'exercice est un peu différent de tous ceux qui précèdent. Il concerne les actes de paroles : quand je dis quelque chose, qu'est-ce que je fais ? Je refuse ? J'accepte ? Je raconte ? On commencera donc par faire le point avec les élèves sur les verbes du discours. Puis on fera faire l'exercice par deux ou par trois en leur laissant un peu de temps pour négocier le sens des phrases.

4. Cet exercice communicatif utilisera *Moi oui, Moi non, Je* + négation + *jamais*. Les élèves s'amuseront à répondre à ces questions.

5. C'est un projet de fin d'Unité. On reviendra sur la consigne. La tâche à réaliser est de proposer un programme pour une excursion de quatre jours dans le pays de l'élève mais hors de sa ville. Il/elle peut donc proposer un petit voyage à la campagne, au bord de la mer ou en montagne. Il faudra qu'il/elle explique l'intérêt du lieu qu'il/elle a choisi (paysages, activités possibles, monuments a visiter, fête particulière...). Ce travail pourra être réalisé par groupes de deux et sera présenté à la classe.

Unité 5 Civilisation

Être étudiant en France

Vous étudiez où ?

• On situera Grenoble et Vichy sur la carte de France.

• On peut demander aux élèves de travailler par paires et de faire une petite recherche sur Paris, Grenoble ou Vichy (documents et images sur Internet) et de trouver pour chacune deux bonnes raisons d'aller y étudier.

Par exemple :

– Pour Grenoble : près de l'Italie / près des montagnes : on peut faire du ski l'hiver, de l'alpinisme l'été / une ville connue pour la recherche scientifique / une très bonne université...

– Pour Vichy : une ville de taille moyenne / la beauté de la campagne autour / un excellent centre de français pour étrangers...

• Deux élèves défendront oralement le choix de Paris devant les autres, deux autres celui de Grenoble et enfin deux celui de Vichy.

Vous mangez où ?

Dans les restaurants universitaires, pour environ 3 euros, on peut avoir un repas complet, pas toujours très gastronomique mais copieux et équilibré. Attention, certains restaurants universitaires (« resto U ») sont ouverts seulement à midi (pour le déjeuner).

À Paris, il y a quinze restaurants universitaires. Selon les commentaires des internautes, le meilleur est celui de la Cité universitaire internationale (pour en savoir plus sur ce lieu, se connecter à *www.ciup.fr).*

Mais dans toutes les universités, il y a aussi des cafétérias bon marché ouvertes toute la journée.

Vous habitez où ?

On expliquera que les résidences universitaires sont assez bon marché mais il est souvent difficile d'avoir une place, surtout à Paris. Il existe d'autres solutions :

– louer un studio ou une chambre. C'est en général très cher à Paris, beaucoup moins dans les autres villes françaises ;

– trouver une chambre « au pair ». La personne « au pair » a une chambre indépendante et un peu d'argent de poche contre 15 à 20 heures de travail par semaine (essentiellement s'occuper des enfants) ;

– partager un appartement avec d'autres personnes (la « colocation »). De très nombreux sites sur Internet proposent des offres de colocation. Mais attention ! Êtes-vous sûr(e) que vous pourrez supporter de vivre toute l'année avec quelqu'un ?

– louer une chambre chez un particulier. Par exemple, vous pouvez habiter, gratuitement ou presque chez une personne âgée en échange de petits services (voir le réseau *COSI* (Cohabitation solidaire intergénérationnelle). C'est très économique mais on doit être assez disponible.

Suggestion d'activité complémentaire

Vous allez étudier un an à Grenoble. Vous recherchez une colocation dans cette ville. Il faut donc expliquer qui vous êtes, ce que vous faites, ce que vous aimez, ce que vous n'aimez pas...

Imaginez : Vous envoyez une fiche à *www.colocation. com* dans laquelle vous faites votre portrait en quelques lignes :

– votre identité (sexe, nationalité, âge) ;

– vos études ;

– votre caractère ;

– ce que vous détestez (le désordre, les chiens ou les chats, le tabac...)

Les jobs d'étudiants

Suggestion d'activité complémentaire

On proposera aux élèves de choisir un job dans la liste ci-dessous et d'expliquer les raisons de leur choix. Puis on leur demandera de choisir ce qu'ils détesteraient faire et d'expliquer pourquoi.

On expliquera les mots inconnus aux élèves.

– Serveur dans un café

– Plongeur dans un restaurant

– Caissier/caissière dans un supermarché

– Accompagnateur d'enfants ou de personnes âgées (en train, par exemple)

– Veilleur de nuit, gardien de nuit

– Réceptionniste dans un hôtel

– Standardiste

– Livreur (de pizzas, par exemple)

– Figurant de cinéma / modèle

– Distributeur de tracts ou de pubs

– Enquêteur de rue ou par téléphone

– Professeur particulier (cours de langue)

– Baby sitter

– Animateur en centre de loisirs pendant les vacances

Unité 5 Entraînement au DELF

Compréhension orale

1. 1. On s'arrêtera sur la différence entre *fatigant* (*courir 1 000 mètres, c'est fatigant !*) et *fatigué* (*il travaille beaucoup, il est très fatigué*).

4. On illustrera le mot *Attention* avec un geste.

5. On insistera fortement sur la différence phonétique entre le singulier et le pluriel (*le cours/les cours*).

On proposera d'autres exemples. On peut refaire le jeu cité précédemment, cette fois pour opposer singulier et pluriel : le professeur énonce un nom, s'il est singulier, les élèves doivent lever la main, s'il est pluriel, ils doivent lever les deux mains. Exemples (on se bornera à proposer des mots masculins commençant par une consonne) :

les Français - le film - le musicien - les sports - le cadeau - le problème - les légumes - les poissons - le château - le train - le tableau...

Grammaire

2. L'exercice n'est pas très facile. Il faudra faire écouter le document au moins trois fois.

3. L'exercice concerne la météo et aussi la géographie. On donnera les mots *nord, sud, est, ouest* et éventuellement *nord-est, nord-ouest, sud-est, sud-ouest.*

On situera sur la carte de France la Bretagne, le Massif central, les Alpes, les Pyrénées.

Suggestion d'activité complémentaire

À l'aide de la carte de France p. 159, on fera situer ces villes en utilisant les points cardinaux (on expliquera la notion) :

Marseille - Bordeaux - Lille - Brest - Nancy...

Par exemple : *Rennes est dans l'ouest de la France.*

Cet exercice est à faire à deux.

4. Attention, l'exercice est difficile. En effet, le verbe *aller* est soit un verbe « plein » (*Je vais au cinéma. Tu viens ?*) soit un verbe qui exprime un futur proche (*Demain, je vais dîner chez ma copine*).

On fera d'abord souligner les verbes « pleins » : *retrouver - faire - voir - venir - ouvrir - aller.* C'est sur ces verbes que doit porter la transformation.

5. Un petit « truc » élémentaire : si l'on peut changer *il* par un prénom, alors le *il* est personnel. Sinon, il est impersonnel.

On fera faire la liste de toutes les occurrences des formes impersonnelles déjà rencontrées : *il y a - il faut - il fait froid - il fait chaud - il fait beau - il pleut - il neige...*

Interaction et expression écrite

6. On incitera les élèves à prendre quelques risques. On fera faire l'exercice oralement en grand groupe. On leur demandera de proposer le maximum de questions possibles pour chaque item (au moins deux questions différentes).

Par exemple, pour les deux premières questions :

– Vous vous appelez comment ? / Comment vous vous appelez ? / Votre nom, s'il vous plaît ? / Donnez votre nom, s'il vous plaît.

– Vous êtes en master de quoi ? / Vous êtes étudiant en quelle année ?

Et pour la dernière question, ce pourrait être :

– Un peu de stress ? / Vous n'avez pas peur ?

7. On situera Arcachon sur la carte de France (dans le Sud-Ouest, sur la côte atlantique, au sud de Bordeaux). On peut également faire rechercher des photos sur Internet.

On laissera le temps nécessaire pour qu'ils trouvent les éléments de réponse dans la carte postale.

1. vacances → août + bain + plage

2. On rentre à <u>Strasbourg</u>

3. <u>Nous</u> mangeons des huîtres tous les jours.

4. <u>On</u> pique-nique.

5. Le surf est différent de la planche à voile.

6. L'eau est <u>bonne</u> (= chaude).

7. et 8. sont plus difficiles : La carte est écrite le lundi et elle dit : *Nous rentrons samedi* (c'est donc leur dernière semaine de vacances) ; Aurélie écrit : *Nous sommes là depuis quinze jours* → Ils ont donc passé trois semaines à Arcachon.

8. On demandera aux élèves de rédiger une vraie carte postale. L'exercice peut sembler assez simple puisqu'ils peuvent reprendre tous les éléments vus dans l'exercice précédent mais il s'agit, là encore, d'un exercice d'appropriation personnelle.

Unité 5 Bilan actionnel

Pouvoir parler de son pays, c'est aussi parler de son ou de ses climats. C'est un thème universel qui fait l'objet de bien des conversations chez les Français comme chez les élèves !

Pouvoir parler de soi, c'est aussi décrire ce que l'on a fait.

1. On proposera de lire la carte postale, puis d'en écrire une.

Les élèves devront parler de leurs vacances, décrire le lieu, parler de la météo et dire de ce qu'ils ont fait (en utilisant le passé composé).

2. Les élèves devront imaginer la journée de Carlo. Avant de se lancer dans l'écriture, on énumérera avec les élèves les objets représentés : un short, une écharpe, une paire de tennis, un I-pod, un appareil photo, un savon d'hôtel, une bouteille de parfum, une note de restaurant, un billet de train, un ticket de caisse de supermarché, un ticket de caisse des Galeries Lafayette (42 euros), un ticket d'entrée pour le Musée Matisse, des cartes de visite.

On pourrait faire des liens avec les objets. De multiples scénarios sont possibles.

- le billet de train → il a visité le Musée Matisse (ticket d'entrée pour le Musée Matisse, appareil photo).

- le ticket de caisse des Galeries Lafayette → il a acheté des cadeaux (un I-pod, du parfum...) ou bien un short, une écharpe, une paire de tennis...

- une paire de tennis → il a fait du sport (il a un short, un I-pod).

- la note de restaurant → il a eu un déjeuner/dîner professionnel (+ cartes de visite).

Leçon 21 – C'était un film des années 30...

Le thème de la leçon se trouve dans l'affiche de cinéma et la photo. Le film *L'Artiste* a, contre toute attente, connu un énorme succès avec des récompenses cinématographiques internationales. Le pari était risqué mais le défi de tourner un film muet en noir et blanc en 2011, a été réussi.

Objectifs fonctionnels :
- parler de la mode, des vêtements
- comparer
- parler de la vie quotidienne dans le passé... (1)

Objectifs grammaticaux :
- l'imparfait (1)
- les pronoms compléments directs (1)
- le verbe *devoir*
- l'expression de la comparaison (1)

Vocabulaire :
- les vêtements, les couleurs

Phonétique/rythme/intonation :
- le « o » ouvert [ɔ] et le « o » fermé [o]
- exercices d'amplification

Dialogue 1

• On fera lire l'introduction du dialogue par un élève.

• On expliquera que c'est un dialogue qui se déroule entre une actrice et son mari producteur au sujet d'une tenue vestimentaire pour une scène de film. La contrainte du film est qu'il se déroule dans les années 30, en noir et blanc et que c'est un muet.

A. – *Dis-moi, qu'est-ce que je mets comme robe ? La noire ou la rouge ? La jaune n'est pas terrible, non ?*

– Je préfère la noire. C'est un film des années 30. En 1930, les femmes ne mettaient pas de robes de couleur pour sortir. Elles s'habillaient de façon plus classique que maintenant.

• Bérénice demande conseil à son mari pour savoir quelle tenue elle devrait porter pour une scène du film. *Qu'est-ce qu'elle lui demande ?* → Qu'est-ce que je mets comme robe ? La noire ou la rouge ?

• On s'arrêtera sur les pronoms compléments d'objet direct (COD). On fera un petit schéma simple au tableau pour montrer que le pronom remplace le nom. La suppression du nom (*robe*) n'est pas difficile à comprendre. On reprendra avec les mêmes vêtements que précédemment ou avec des livres. On répétera cette structure avec d'autres exemples : *Tu aimes mes chaussures ? Tu **les** trouves comment ? Vous aimez*

*ma chemise... ? Vous **la** trouvez comment ?*

• On insistera sur l'intonation : *La jaune, n'est pas terrible, non ?* (= pas joli, pas beau, pas bien...)

• On pointera les verbes *mettre* et *s'habiller* qui sont conjugués à l'imparfait, sans entrer dans les détails pour l'instant.

• On expliquera *classique* = de bon ton, un peu neutre, des couleurs comme le gris, le bleu marine, le beige... On pourra donner aux élèves une série de quatre photos : *Qui est le plus classique ? Qui est le plus original* (on donnera ce mot) ? *Et on pourra continuer ainsi : Et vous, qu'est-ce que vous aimez ? Le style classique ou les vêtements plus originaux ?*

B. – *Elles étaient moins difficiles que les femmes d'aujourd'hui.*

• On pourra aussi reformuler : *Les femmes d'aujourd'hui sont plus difficiles que les femmes des années 30.*

• Le comparatif n'est pas difficile. On pourra introduire à ce moment le verbe *être* à l'imparfait (*j'étais, tu étais, il était, elle était, nous étions, vous étiez, ils étaient, elles étaient*).

C. – *D'abord, essaie la robe noire. C'est un souvenir de ma grand-mère. Fais attention, c'est précieux.*

• On expliquera pourquoi c'est *précieux* : c'est un souvenir de famille. On demandera aux élèves de donner des exemples de souvenirs de famille : des photos, des objets, des bijoux...

D. – *À cette époque, le cinéma était muet, les acteurs jouaient sans...*

• On relèvera les verbes *être* et *jouer* qui sont à l'imparfait.

• Après l'écoute de ce dialogue, on passera à l'exercice de compréhension avec **Écouter**.

Écrire

Cette partie sera faite après la présentation grammaticale de l'imparfait p. 128.

Communiquer

On fait ici appel au côté artiste des élèves car ils sont amenés à mimer des actions ou des professions. C'est justement le thème de la leçon !

Je prononce

Les sons [ɔ] et [o]

• Le [ɔ] ouvert est à mi-chemin entre [a] et [o] fermé.

• L'ouverture de la bouche est différente pour le [o] fermé : la bouche est entrouverte, arrondie et les lèvres en avant. Pour le [ɔ] ouvert, le bouche est plus ouverte et les lèvres moins avancées.

J'APPRENDS ET JE M'ENTRAÎNE P. 128-129

Grammaire

Les verbes *vouloir, pouvoir, savoir* et *devoir*

Ils sont très irréguliers. On les fera pratiquer régulièrement par les élèves. On ne travaillera pas encore leurs différents sens :

– **pouvoir** = avoir la capacité de (ex. : *Je peux courir 1 000 m*) ou avoir l'autorisation de (ex. : *Je peux sortir ?*) ;

– **savoir** = avoir la connaissance de quelque chose (ex. : *Je sais ce qui s'est passé*) ou être en mesure de faire quelque chose (ex. : *Je sais nager*) ;

– **devoir** = obligation (ex. : *il est tard, je dois rentrer*) ou supposition (ex. : *il est absent : il doit être malade*).

L'imparfait

Il est très régulier : il se forme à partir de la première personne du pluriel du présent de l'indicatif : *nous dev-ons → je dev-ais, tu dev-ais*...Ses différentes valeurs sont moins faciles à acquérir.

Dans cette leçon, on abordera seulement l'imparfait lorsqu'il exprime une situation dans le passé : *En 1930, les femmes étaient moins difficiles que les femmes d'aujourd'hui.*

Le pronom complément d'objet direct (COD) : *le, la, l', les*

• On rappellera d'abord aux élèves la question de la construction des verbes. On opposera : *regarder quelqu'un* (construction directe) et *parler à quelqu'un* (construction indirecte). Les COD ne concernent que les verbes *transitifs* qui se construisent directement.

• Les pronoms *le, la, l', les* remplacent quelqu'un ou quelque chose de précis, de déterminé, de défini :

– un nom propre : *Je déteste Valérie → Je **la** déteste*

– un nom commun défini, c'est-à-dire précédé d'un déterminant défini :

a) un article défini : – *Tu regardes la télévision ? – Oui, je **la** regarde.*

b) un adjectif possessif : – *Tu aimes ma robe ? – Oui, je **l'**adore !*

c) un adjectif démonstratif : – *Vous connaissez cette fille ? – Non, je ne **la** connais pas.*

• Le pronom COD est généralement placé devant le verbe (ex. : *Je le connais / Je l'ai vu*).

La comparaison

plus + adjectif + *que* / *moins* + adjectif + *que*

Attention : les élèves l'oublient souvent *que*.

Exercices et activités

1. Il s'agit, comme toujours pour commencer cette page d'exercices, d'un exercice de discrimination orale. Cet exercice est difficile : les phrases sont très proches, sauf peut-être les dernières. On les fera écouter deux fois. Et, après la correction, on les fera écouter une fois encore. On peut demander aux élèves de lire les quatre couples de phrases à haute voix pour qu'ils sentent bien la différence.

2. L'exercice est à peine plus difficile : **a.** On cherche un COD pluriel (*les*) ; **b.** : on recherche un COD singulier (et quelque chose que l'on peut offrir à quelqu'un pour son anniversaire !) ; **c.** : il s'agit d'un objet féminin.

3. Attention, l'exercice est double : il faut trouver le verbe qui convient au contexte et le conjuguer à l'imparfait, temps que les élèves ne maîtrisent pas encore bien : on leur laissera un peu de temps pour faire ce travail (à deux).

4. L'exercice n'est pas très facile car il demande de la concentration et les variantes sont légères. On fera écouter le texte une première fois en invitant les élèves à le lire en même temps, crayon en main pour souligner les endroits où il y a une divergence. Puis on le fera écouter une deuxième fois (voire une troisième) en leur demandant de corriger le texte. Enfin, ils devront écrire sous chaque image une phrase à l'imparfait inspirée du texte.

Leçon 22 – Avant, c'était comment ?

Objectifs fonctionnels :
- parler de la vie quotidienne dans le passé (1)
- raconter un événement passé (1)

Objectifs grammaticaux :
- l'imparfait (2)
- les pronoms compléments directs (2)
- *il y a* + durée

Vocabulaire :
- les moyens de communication

Phonétique/rythme/intonation
- le son [ε]
- prononciation de *in-*, *im-* devant une consonne (ex. : *incroyable, impossible*)

JE COMPRENDS ET JE COMMUNIQUE P. 130-131

La leçon présente deux documents : un document d'accroche avec des images et un dialogue à lire et à écouter.

Document 1

• On fera observer les 4 paires d'images, on pourra répéter les mots *autrefois* en pointant les images de gauche et *aujourd'hui* en pointant les images de droite. Ainsi les élèves comprendront l'idée de l'évolution du temps, d'un *avant* et d'un *après*.

• On passera alors à l'activité **Comprendre** et on formulera la phrase commençant avec *Avant* à l'imparfait et la phrase commençant avec *Aujourd'hui* au présent. On pourra accepter toutes sortes de réponses en lien avec les activités représentées sur les images. Exemples : **B.** *Avant les gens chassaient / tuaient les mammouths pour manger. Aujourd'hui, on achète la viande à la boucherie.* **C.** *Avant on écrivait des lettres à la plume. Aujourd'hui on écrit / envoie des e-mails.* **D.** *Avant les gens voyageaient / faisaient des voyages en bateau / paquebot. Aujourd'hui on voyage en avion.*

Dialogue 2

• On fera écouter une fois le dialogue en entier.

• Puis on demandera : *Qui parle ?* → Un enfant et sa grand-mère (il l'appelle *mamie*). On reviendra un instant sur la manière dont on appelle ses proches : *papa* et *maman* pour les parents, *mamie* et *papy* (ou bien *grand-mère* et *grand-père*, *mémé* et *pépé*, *bonne-maman*, *bon-papa*) pour les grands-parents. Pour les oncles et les tantes, les termes familiers *tonton* et *tatie* (ou *tata*) sont encore employés bien que désuets.

A. – *Mamie, hier soir, j'ai vu un reportage très intéressant à la télé sur les inondations de janvier... non mars 1930 dans le sud de la France.*

– *Ah oui, c'était il y a longtemps, il y avait de l'eau partout. Les gens ne pouvaient pas circuler dans les rues et devaient prendre des bateaux. Et tu sais, les bateaux ne pouvaient pas passer sous les ponts.*

• On questionnera : *Qu'est-ce qu'il a vu ?* → Un reportage à la télévision.

Attention ! On en profitera pour insister sur la préposition : **à** la télévision (et non *sur ou *dans).

On imaginera trois mini-situations :

– *Il y a un chat sur la télévision* (sur = au-dessus de)

– *Il y a un problème dans la télévision* : on l'ouvre pour voir ? (dans = à l'intérieur de)

– *J'ai vu un beau film à la télévision.*

• *Un reportage sur quoi ?* → Sur les inondations dans le sud de la France. *C'était quand ?* → En 1930, il y a longtemps.

• *Les gens devaient prendre des bateaux* pour se déplacer.

On reviendra sur le verbe *devoir* marquant l'obligation. L'eau était très haute – on introduira avec un geste l'adjectif *haut(e)* – donc les bateaux ne pouvaient pas passer sous les ponts. On en profitera pour introduire la préposition *sous* (avec un geste et/ou un petit schéma au tableau). Ex. : *Les bateaux passent sous le pont.*

• On demandera aux élèves de faire la liste des grands problèmes dus aux inondations. *Quels sont les grands problèmes ?* → problèmes de déplacements (métro fermé, pas de bus et pas de voitures), maisons ou immeubles abîmés, risques d'épidémie... *Comment circuler ?* → en bateau, en barque. *Comment se protéger ?* → Il faut évacuer les zones inondées.– *Comment éviter les épidémies ?* → Il faut boire de l'eau non polluée, ne pas manger de légumes crus...

B. – *Mais...pendant les inondations, il n'y avait pas de télé. Mais, comment vous faisiez avant quand il n'y avait pas de télé, pas de portable, pas d'Internet ? La vie était impossible ! Mais vous aviez la radio, hein ?*
– *Oui, on l'avait, bien sûr ! Et le téléphone existait aussi ! La vie était différente, il y a soixante-dix, quatre-vingts ans, mais c'était bien aussi. D'abord, on allait souvent au cinéma, on sortait avec nos amis, on les invitait à la maison. Ensuite, on écoutait la radio, on lisait les journaux, on écrivait des lettres.*
– *Oh là là, comment vous faisiez avant ?!!*

• *Qu'est-ce qu'il demande ?* → Comment les gens vivaient avant, sans Internet, sans téléphone portable... *Alors, elle vivait comment ?* → Elle vivait bien.

• Si le niveau de la classe le permet, on peut essayer d'inciter les élèves à trouver un point commun à toutes ces activités : la vie sociale était très active, les relations avec les autres plus intenses. En caricaturant un peu, on pourrait dire qu'aujourd'hui, l'individualisme est plus fort (chacun devant son ordinateur) et les communications plus virtuelles que réelles.

– Oh là là !

• *Oh là là !* Les Français ont un geste très caractéristique pour exprimer la surprise ou l'affolement que traduit cette expression : ils secouent la main très fort et très vite.

• On fera écouter une deuxième fois le dialogue pour répondre aux questions de l'exercice **Écouter**.

Écrire

On demandera aux élèves de rédiger quelques lignes sur la vie à l'époque de leurs grands-parents. Quelles sont les principales différences par rapport à aujourd'hui ?

On les aidera pour le vocabulaire et pour la forme des imparfaits.

Communiquer

Les élèves devront décrire leur vie l'année dernière, en utilisant l'imparfait.

Je prononce

Le son [ɛ]

C'est le son des terminaisons de l'imparfait : *je voulais, tu voulais, il voulait, ils voulaient.*

Remarque : Attention, dans le sud de la France, on prononce le [ɛ] de l'imparfait plutôt comme un [e]. Il n'y a pas de différence ou très peu entre : *l'été* et *il était* – *on a mangé* et *on mangeait...* Nous avons choisi la prononciation « standard », c'est-à-dire celle des medias... et celle de la région parisienne.

in - ou *im -* + consonne

Les élèves hésitent souvent sur la manière de prononcer : *am, an – em, en – im* ou *in...*

Pour montrer qu'il s'agit d'un découpage syllabique, on opposera :

- *im/possible* et *i/mage* ;
- *in/téressant* et *i/nutile* ;
- *an/glais* et *a/nimal* ;
- *en/core* et *é/norme*.

J'APPRENDS ET JE M'ENTRAÎNE P. 132-133

Grammaire

L'imparfait et ses valeurs

C'est le temps qu'on utilise pour exprimer, nous l'avons vu, une situation, un état de fait dans le passé ou encore, comme dans le dialogue de cette leçon, des habitudes, des actions qui se répétaient dans le passé : *on écoutait la radio, on invitait des amis, on sortait...* Classiquement, on oppose *avant* → imparfait et *maintenant* → présent.

Depuis / il y a

• *Depuis* signifie que le procès continue dans le présent : *Ils vivent en France depuis dix ans* sous-entend qu'ils y vivent toujours.

• *Il y a* exprime une action ou un événement ponctuel, situé dans un moment précis du passé et complètement terminé.

• Les élèves connaissent déjà **le pronom COD**. On précise seulement que *la* et *le* deviennent *l'* devant une voyelle. Cela ne pose pas de problème, les élèves connaissent depuis longtemps cette règle.

On peut rappeler que de nombreuses lettres, devant une voyelle, perdent le *e* qui les suit : *je* → *j'aime* – *que* → **Qu'**est-ce que c'est ? – *ne* → *je* **n'**aime pas la danse – *me* → *Tu* **m'**aimes ? *te* → *Je* **t'**appelle...

• Attention ! aux noms exprimant **une entité collective** : la famille, la foule, la multitude... et on : ils sont suivis d'un verbe au singulier. Ex. : *Ma famille est très grande.*

Mais *les gens,* toujours au pluriel, appelle un verbe au pluriel : *Dans ma famille, les gens sont très différents.*

Exercices et activités

1. Chassez l'intrus, le mot qui ne correspond pas.

2. Pour déterminer s'il faut utiliser *depuis* ou *il y a,* on procédera par regroupements.

A. Tous les événements ou toutes les actions qui sont terminées dans le passé et qui ont eu une durée limitée :

– une première rencontre (on peut la dater précisément)

– voir un film (tel jour – à tel endroit)

– un seul voyage en Russie (à une date précise)

– le jour de notre arrivée à Paris (un jour précis, que l'on peut dater) → *il y a* + expression d'une durée.

On fait référence au moment de l'événement : *J'ai vu ce film il y a trois semaines.* Il y a donc deux points de repère : le moment où je parle (T) et le moment où s'est produit l'événement (T - trois semaines).

B. Les événements ou les états, les sentiments qui continuent dans le présent ; les phrases sont presque toujours au présent :

– *Vous vivez à Paris depuis longtemps ?* (Vous vivez toujours à Paris.)

– *Nous sommes mariés depuis le 25 juin 2012.* (Nous sommes toujours mariés.)

– *Je la connais depuis des années !* (Je la connais toujours.)

→ *depuis* + expression d'une durée. Il y a continuation dans le présent.

On précisera que **_depuis_** peut être suivi :

– d'une date : *Je le connais depuis le 16 octobre 2011.* ;

– d'une durée : *Je le connais depuis deux ans* ;

– d'un événement : *Je le connais depuis son arrivée en France.*

Il y a ne peut être que suivi d'une durée : *Je l'ai rencontré il y a trois ans.*

3. Pour bien différencier les trois expressions, on pourra ainsi résumer :

– **pendant** exprime l'idée d'une durée « fermée » limitée aux deux extrémités. Ex. : *Il a été en prison pendant dix ans. (= de 2000 à 2010)*

– **depuis** exprime l'idée que quelque chose continue à partir d'un point X du passé. Ex. : *Il habite en France depuis 1996. (= de 1996 à aujourd'hui)*

– **il y a** réfère à un moment précis et terminé dans le passé (dans l'exemple suivant, le moment de son départ). Ex. : *Il est parti il y a deux mois.*

4. Avant l'exercice, on demandera aux élèves de souligner les verbes dans chaque phrase et de donner leur construction. On fera deux colonnes :

construction directe	construction indirecte
– *inviter quelqu'un* – *voir quelqu'un*	– *téléphoner à quelqu'un* – *envoyer quelque chose à quelqu'un* – *lire quelque chose à quelqu'un* – *écrire à quelqu'un*

5. Les élèves devront décrire les principales différences entre un village autrefois et une ville moderne. L'objectif de l'exercice est d'utiliser l'imparfait et le présent.

Leçon 23 - Il est devenu célèbre !

Objectifs fonctionnels :
- raconter un événement passé (2)
- décrire les circonstances qui ont entouré un événement dans le passé

Objectifs grammaticaux :
- les relations imparfait/passé composé (1)
- les pronoms compléments d'objet indirect (COI) (1)
- l'expression de la comparaison (2)

Vocabulaire :
- les rencontres, les itinéraires de vie

Phonétique/rythme/intonation :
- le son [ɥ] : lui, cuit, bruit...

Dans cette leçon, l'objectif essentiel est de faire sentir les valeurs respectives du passé composé, temps qui sert à décrire des faits, des événements, des actions... et de l'imparfait qui convient pour les circonstances (la situation, l'état de fait, les descriptions, les motivations, les commentaires...).

Dialogue 1

• On fera lire l'introduction du dialogue par un élève.

• Le dialogue est plus long et plus complexe que d'habitude. On commencera par attirer l'attention des élèves sur les trois photos. On expliquera que c'est la même personne à différents moments de sa vie. On demandera : *Sur la première photo, le jeune homme a quel âge ? Il est beau ? À votre avis, qu'est-ce qu'il fait ? Il joue au tennis ? Et sur l'autre photo, il a quel âge ? Quel est son métier ? Il est beau ? sympathique ? Sur la dernière photo, avec qui est-il ?*

Quelles sont les ressemblances entre les trois photos ?

• On fera écouter le dialogue d'abord par segments, puis en entier.

A. Yannick : *Mon père jouait au football. Je jouais déjà au tennis à 3, 4 ans au Cameroun et, un jour, j'ai rencontré Arthur Ashe, un joueur de tennis. Je lui ai parlé et il m'a dit de continuer de jouer au tennis. À 11 ans, on m'a proposé d'aller étudier dans une école de tennis en France. J'ai accepté. J'ai changé de vie.*

• On questionnera : *Qu'est-ce qu'il faisait ?* → Il jouait au tennis.

Où ? → Au Cameroun.

Que s'est-il passé lorsqu'il était au Cameroun ? → Un jour, il a rencontré Arthur Ashe. Il lui a parlé et il lui a dit de continuer de jouer au tennis.

Que s'est-il passé quand il avait 11 ans ? → On lui a proposé d'aller étudier dans une école de tennis en France. Il a accepté, il a changé de vie.

• Dans cette première réplique, on voit les points grammaticaux importants de la leçon, avec, d'une part, l'emploi dans la même phrase du passé composé et de l'imparfait (*je jouais au tennis et un jour, j'ai rencontré...*) et, d'autre part, le pronom complément d'objet indirect (*je lui ai parlé*).

B. Pierre : *Ça alors ! Votre père jouait du football, vous au tennis. Et votre fils est moniteur de ski à la montagne ?*

Yannick : *Ah ah, non ! Mon fils Joakim joue au basket, il est aussi grand que mon père et aussi timide que moi.*

• On explicitera que Yannick est issu et fait partie d'une famille de sportifs. On fera remarquer la comparaison d'égalité : *aussi* + adjectif + *que*.

C. Pierre : *Vraiment ? Vous ? Timide ? Je ne suis pas d'accord. Avant vous jouiez au tennis puis vous êtes devenu chanteur. Vous chantez aujourd'hui en face de milliers de gens. Vous avez eu des rôles au cinéma.*

• On notera l'emploi de l'imparfait et du passé composé dans une même phrase.

D. Yannick : *Et alors, et alors ! On est tombés amoureux l'un de l'autre, on s'est mariés et on a eu mon fils Joalukas.*

• On s'arrêtera un instant sur l'expression *tomber amoureux de quelqu'un* (et non **tomber en amour*). On peut introduire *le coup de foudre* et demander aux élèves si, à leur avis, cela existe.

• Les autres parties du dialogue sont faciles à comprendre et l'exercice **Écouter** se fera sans difficulté.

Comprendre

On demandera aux élèves d'écouter attentivement le dialogue et d'y trouver 2 phrases qui utilisent à la fois le passé composé et l'imparfait.

Communiquer

Les élèves pourront réinvestir ce point de grammaire à travers cette activité, à faire en petits groupes.

Écrire

Les élèves sont invités à écrire quelques lignes évoquant des événements de leur vie passée. Ils devront utiliser à bon escient l'imparfait et le passé composé.

Je prononce

Le son [ɥ]

• Il est difficile à prononcer. La bouche est dans la même position que lorsqu'on siffle. D'ailleurs, on dit que les oiseaux font *cui-cui-cui*.

• Attention à la différence entre *ui* et *oui*. Pour le son *ui*, les lèvres sont plus avancées.

• On fera répéter : *Lui, c'est Louis // Louis, c'est lui.*

L'accent de surprise

Les élèves ont rencontré plusieurs fois cette intonation de surprise où l'on « traîne » sur la dernière syllabe.

On répétera en exagérant un peu : *Ah booooon... Ça aloooors...*

J'APPRENDS ET JE M'ENTRAÎNE P. 136-137

Grammaire

Passé composé et imparfait

Presque toujours, on rencontre ces deux temps ensemble. Pour mieux faire comprendre leurs emplois respectifs, le plus simple est de reprendre ces deux phrases du dialogue :

– Je jouais déjà au tennis à 3,4 ans au Cameroun et, un jour, j'ai rencontré Arthur Ashe, un joueur de tennis.

– Avant vous jouiez au tennis puis vous êtes devenu chanteur.

L'imparfait donne des détails, des descriptions et le passé composé nous donne les faits (j'ai rencontré, vous êtes devenu). L'ensemble donne de la vie au récit, qui serait très schématique, très plat s'il était réduit aux simples faits.

Le COI

• La difficulté est en amont ; elle concerne la construction des verbes. On suggère fortement de toujours faire apprendre les verbes avec leur construction : *parler à quelqu'un – s'intéresser à quelqu'un ou à quelque chose – insister sur quelque chose – s'occuper de quelqu'un ou de quelque chose – se disputer avec quelqu'un, etc.*

• La seconde difficulté est la distinction entre *lui* et *leur*. Les élèves ont l'impression d'avoir déjà rencontré ces mots. Ils sont désorientés à l'idée que *lui* et *leur* aient une « double casquette ».

– **lui** pronom tonique : *avec lui, chez lui, pour lui...*

– **lui** pronom complément d'objet indirect singulier : je lui parle ; tu lui téléphones...

– **leur** adjectif possessif : *C'est leur voiture.*

– **leur** pronom complément d'objet indirect pluriel : *Je leur écris ; nous leur avons téléphoné.*

Cette difficulté est renforcée par le fait que le COI *lui* est masculin ou féminin (alors que le pronom tonique *lui* est seulement masculin – son équivalent féminin est *elle*). D'où l'erreur fréquente : *Je parle à Jacques → Je **lui** parle.* Mais *Je parle à Diana → *Je elle parle* ou *Je parle à elle* plutôt que *Je lui parle.*

Le comparatif d'égalité

Sa construction n'est pas difficile : *aussi* + adjectif ou adverbe + *que*. Il faut veiller à ce que les élèves n'omettent pas *que*.

Exercices et activités

1. L'exercice est facilité par le fait que tout le monde connaît une version ou une autre de ce conte. Il n'y a donc guère d'effort à faire pour en comprendre le sens global. Les élèves peuvent diriger leur attention vers les verbes à ajouter. On leur demandera de veiller à l'orthographe. On leur fera remarquer : *elle s'appelait* (un seul *l*), *il les mangeait* (eait) ; en comparant avec le mot *gâteau*, on en déduira la règle : *g + a, o* ou *u* donnera le son [g], tandis que *g* suivi de *e , i* ou *y* donnera le son [ʒ].

On pourra raconter aux élèves le conte « à la française » et demander aux élèves les variantes qu'ils connaissent. On peut expliquer qu'il existe, en Europe, deux fins, l'une noire, celle de Charles Perrault (le loup mange la grand-mère et la petite fille), et l'autre rose, celle des frères Grimm (le chasseur arrive juste à temps pour sauver l'enfant, tuer le loup et sortir la grand-mère vivante de son ventre).

2. On emploiera l'imparfait « descriptif » et le passé composé « actif » dans cet exercice.

3. On insistera à nouveau, lors de la correction, sur la différence de construction des verbes qui entraîne un changement de pronom : *connaître quelqu'un → je le connais* (masculin) / *je la connais* (féminin) ; *parler à quelqu'un → je lui parle* (masculin ou féminin).

4. L'exercice est facile et ne devrait poser aucune difficulté. On fera utiliser les comparatifs *plus... que, aussi... que, moins... que.*

5. On aidera les élèves à interpréter les dessins :

– Une jeune fille joue de la guitare dans la rue. Elle chante pour les passants. Elle ne gagne pas beaucoup d'argent.

– Elle rencontre un agent de star qui lui propose de chanter dans un concert.

– La jeune fille est devenue riche, célèbre, c'est une pop star.

On demandera aux élèves si une telle histoire est plausible ou non. Dans leur pays, a-t-on des exemples d'artistes inconnus qui, par un coup de chance, ont accédé à la notoriété ?

Leçon 24 - Faits divers

Objectifs fonctionnels :
- comprendre un événement passé, par exemple un fait divers
- savoir parler des circonstances d'un fait divers, de ses causes et de ses conséquences

Objectifs grammaticaux :
- les relations imparfait/passé composé (2)
- les pronoms compléments d'objet indirect (2)
- l'expression de la cause/de la conséquence

Vocabulaire :
- le fait divers

Phonétique/rythme/intonation :
- le son [j]

Document 1

• Les élèves pensent souvent qu'ils ne pourront pas comprendre les informations radiodiffusées. Cette leçon cherche à leur montrer que ce n'est pas tout à fait vrai. Bien sûr, il ne s'agit pas d'enregistrements authentiques et les faits sont présentés un peu plus simplement, mais cela devrait les inciter à « se lancer » et à écouter un peu régulièrement les radios françaises. On peut les renvoyer également à TV5, l'image aidant beaucoup à la compréhension.

• On s'arrêtera d'abord sur les termes *un fait divers*. La notion existe dans tous les pays. On proposera quelques exemples (un incendie, un crime, un accident...). On peut aussi inscrire au tableau dix gros titres de presse. Exemples : *Le Premier ministre fait une déclaration à la télévision / Rencontre au sommet entre la Corée du Sud et le Japon / Une jeune fille assassinée en plein Paris ! / Pétrole : le baril dépasse les 100 dollars / Record des ventes d'automobiles électriques en septembre.* Puis on demandera aux élèves de trouver dans cette liste quel est le fait divers (il n'y en a qu'un). On s'appuiera sur la presse de leur pays : quels journaux font une large place à ce type d'information ?

• Les élèves répondront à la question de **Comprendre**.

• On fera écouter les quatre faits divers pour que les élèves puissent répondre seulement à la première question de la rubrique **Écouter**.

• Puis, livre fermé, on écoutera les quatre faits divers séparément. Attention : les textes de la page ne doivent être lus par les élèves qu'après l'écoute.

1. On expliquera ce que sont *une vache* et *un embouteillage*. On montrera, par exemple, une affiche du Salon de l'agriculture sur Internet, car il y a presque chaque année une vache sur l'affiche. On montrera sur le plan de Paris que le Salon de l'agriculture se tient dans Paris, dans le sud de la ville (porte de Versailles), ce qui aidera à expliquer le mot *embou-*

teillage. On demandera : *Il y a eu un embouteillage porte de Versailles. Pourquoi ?* → Parce qu'une vache s'est échappée dans la rue. On fera paraphraser : *une vache est partie dans la rue, il y a eu des problèmes de circulation.*

2. On s'arrêtera un instant sur l'expression *en pleine nuit* (= au milieu de la nuit, à 3 h ou 4 h du matin). On interrogera : *Qui est entré dans l'hôtel ?* → Quelqu'un. *C'était un homme ou une femme ?* → On ne sait pas, peut-être un homme (on dit *un voleur*). *Il y avait des gardiens dans l'hôtel ?* → Oui, deux. *Le voleur a emporté de l'argent et les gardiens n'ont pas entendu. Pourquoi ?* → Parce qu'ils dormaient.

• On fera répondre à la deuxième question de la rubrique **Écouter** en reprenant oralement, si nécessaire, les trois sommes mentionnées.

3. On peut dire qu'un enfant de six mois est aussi appelé *un bébé*. Un bébé est resté en plein soleil (exactement sous le soleil) pendant deux heures. *Où ?* → Sur la Promenade des Anglais, le long de la plage, mais pas sur la plage. *Pourquoi le bébé était tout seul ?* → Ses parents étaient sur la plage. *Pourquoi ?* → Parce qu'ils avaient trop chaud, ils voulaient se baigner. On peut demander aux élèves de faire une hypothèse sur la saison et l'heure de l'incident : certainement l'été (= il faisait très chaud) au début de l'après-midi (= en plein soleil).

• Avant de répondre à la question 3 de la rubrique **Écouter**, on laissera une ou deux minutes aux élèves pour qu'ils prennent connaissance des cinq phrases. On peut leur demander de rectifier les assertions fausses, par exemple **c.** : l'enfant était tout seul, en plein soleil ; **d.** : il faisait très chaud, trop chaud.

4. Attention au verbe *boire*. Quand il est intransitif (ex. : *Il boit*), on sous-entend presque toujours *de l'alcool*. Ce dernier fait divers est le plus grave : c'est un meurtre (on peut donner le verbe *assassiner*).

• On fera écouter une première fois ce fait divers, puis on demandera aux élèves de bien lire les quatre phrases proposées dans la question 4 de la rubrique **Écouter**, avant d'écouter une seconde fois l'enregistrement. Il y a une seule bonne réponse (**d**) : **a.** Les deux buvaient beaucoup mais qui a tué qui ? → La femme a tué son mari. **b.** Non, le mari était mort. On ne sait pas qui a appelé la police. Peut-être la voisine ? **c.** Non, elle explique la situation aux policiers et pas aux journalistes (« Les policiers ont interrogé la voisine »).

Communiquer

Les élèves vont devoir résoudre un vol de téléphone avec cette activité. Le professeur pourra travailler s'il/elle le souhaite en amont avec chaque suspect/acteur de ce fait divers.

La personne 1 s'est fait voler son portable. *Où ? Est-ce qu'il a vu le voleur ?* La personne 2 a trouvé un portable par terre. *Est-ce qu'il dit la vérité ? Que faisait-il là ? La personne 3 est témoin. Elle a un lien avec la personne 1 ? avec la personne 2 ?*

Un policier doit mener une enquête. Au final, 5 élèves peuvent participer à ce jeu de rôle, si un journaliste décrit ce fait divers.

Écrire

Les élèves pourront relater un faits divers en utilisant les temps au passé et des connecteurs comme *tout d'abord, ensuite, pour finir.*

Je prononce

Le son [j] est un peu difficile car c'est un son « mouillé ». Il serait très utile de faire prononcer les noms féminins terminés en *-tion, ssion, -xion* qui posent toujours des problèmes à cause de leur différence de phonétique avec l'anglais : *une action, une réaction, une addition, une intention, la nation, la pollution, la passion, une réflexion...* On pourra aussi revenir sur un mot très souvent entendu : *Attention !*

J'APPRENDS ET JE M'ENTRAÎNE P. 140-141

Grammaire

L'imparfait et le passé composé (suite)

On continuera à explorer les usages respectifs de l'imparfait et du passé composé, en expliquant à nouveau qu'on rencontre presque toujours ces deux temps ensemble, qu'ils se complètent. On peut figurer au tableau l'imparfait comme une ligne continue et le passé composé comme un point venant interrompre cette ligne. On prendra d'autres exemples :
- *Quand j'ai ouvert la porte* (= une action précise, limitée dans le temps), *il pleuvait* (= il était en train de pleuvoir, on ne sait pas depuis combien de temps ni si la pluie a continué).
- *J'étais dans le métro* (depuis combien de temps ? On ne sait pas) *quand il y a eu l'accident* (un fait ponctuel, précis).

• Les élèves ont déjà vu *lui*, pronom COI. Voici le pluriel, *leur.*
- *Elle parlait à sa voisine ?* → Non, elle ne lui parlait pas.
- *Elle parlait à ses voisins ?* → Non, elle ne leur parlait pas.

On rappellera qu'il ne faut pas confondre :
- ce *lui* (COI, masculin ou féminin) avec le pronom tonique *lui* (*chez lui, avec lui, pour lui...*) qui est toujours masculin ;
- *leur* (COI, pluriel de *lui*) avec l'adjectif possessif *leur*(s) Ex. : *Voilà mon frère, sa femme et leurs enfants : leur fils Tom et leur fille Milly.*

Les pronoms COI

• On n'insistera jamais trop sur l'importance de la **construction des verbes**. On peut imaginer un petit texte : *Paul aime Elisa : il l'aime / Il téléphone à Elisa*

vingt fois par jour : *il lui téléphone...* / *Elle demande à Paul d'arrêter : elle lui demande d'arrêter...* / *Il répond à Elisa que c'est impossible : il lui répond que c'est impossible...* / *Elle menace Paul d'appeler la police : elle le menace...*

Attention, tous les verbes se construisant avec la préposition *à* ne suivent pas ce régime. Il est fort possible qu'un élève un peu curieux demande pourquoi on dira : *je lui parle, je lui écris, je lui téléphone, je lui envoie un message, je lui raconte ma vie...* mais non **je lui pense, *je lui rêve...* On pourra expliquer que les pronoms *lui* et *leur* ne s'emploient que lorsque les verbes supposent une réciprocité, une idée d'interaction, d'échange possible : si je parle à X ou si je lui téléphone, on suppose qu'il m'entend et qu'il peut me répondre. En revanche, je peux penser à Angelina Joly ou à Leonardo DiCaprio sans qu'eux pensent à moi.

L'expression de la cause

Parce que répond toujours à la question *Pourquoi ?* On verra plus tard (Zénith 2) que ce n'est pas le cas avec *puisque.*

Exercices et activités

1. L'exercice n'est pas très facile mais, dans la leçon, les élèves ont entendu un fait divers un peu semblable. On les incitera à d'abord lire les cinq phrases de l'exercice, avant de répondre. Et enfin ils pourront réécouter le texte pour éventuellement revoir leurs réponses. Au moment de la correction, on leur demandera de rectifier les assertions inexactes (**a.** Brice Wallon était « un jeune acteur de cinéma ». **d.** Non, c'est Brice Wallon qui aimait se lever tard. **e.** Il est tombé, il est mort comme ça.).

2. Les élèves devront remplacer les mots soulignés par *leur-la-les-lui.*

3. On demandera de répondre à chaque question en utilisant *parce que* + imparfait.

4. Voici un travail de compréhension et de production écrites. Il est un peu difficile mais il permet de revenir à nouveau sur l'opposition passé composé/imparfait. Il faut bien veiller à ce que chacun trie les données en « décor, circonstances, commentaires » (le temps qu'il fait, les jugements sur l'intérêt du colloque ou sur l'excellence du restaurant...) et en « actions, faits » (assister à un concert, faire du vélo, aller à l'université, prendre le train...). En cas de doute, le professeur aidera les élèves à faire cette distinction. Ils pourront bien sûr vérifier la morphologie des verbes dans les tableaux des conjugaisons du manuel. Ici encore, les élèves pourront travailler en tandems ou en petits groupes.

5. Les élèves doivent raconter une histoire où se glissera un mensonge.

Unité 6 Civilisation

Les médias en France

Les journaux

• On fera d'abord décrire la photo page 142, en haut à droite. L'homme est assis, il lit un journal. Il sourit, il semble heureux.

• Puis on fera lire le texte p. 142. On s'arrêtera sur *de plus en plus et de moins en moins.* On pourra expliquer la différence à l'aide d'un geste et/ou d'un petit schéma au tableau.

• On donnera les trois manières d'exprimer la proportion :

– un Français sur deux / la moitié des Français / 50 % (cinquante pour cent) des Français ;

– un Français sur trois / le tiers des Français / 33 % des Français ;

– un Français sur quatre / le quart des Français / 25 % des Français...

• On reviendra sur le mot *les médias* : ils englobent tous les moyens d'information. On demandera aux élèves d'énumérer tous les médias qu'ils connaissent (la télévision/la télé ; les journaux/la presse écrite ; la radio ; des sites Internet ; Twitter...)

• On invitera les élèves à citer des journaux français et on complétera avec les titres des principaux journaux en France.

• Il peut être intéressant de présenter et de comparer les unes des principaux quotidiens nationaux (papier ou numériques) : *Le Monde, Le Figaro, Le Parisien, Libération...* On expliquera que le mot *une* est la contraction de la *page une.*

• Par petits groupes, on demandera aux élèves quelle est leur impression générale sur ces unes (typographie, gros titres, place et rôle des photos, etc.) et laquelle leur semble la plus intéressante.

• On pourra éventuellement présenter très rapidement leurs caractéristiques :

– *Le Monde* : journal d'information et d'analyse ; réputation de sérieux ; tendance politique : centre-gauche ;

– *Le Figaro* : journal d'information et d'analyse ; sérieux, assez conservateur ; tendance politique : centre-droit ;

– *Le Parisien* : journal assez populaire ; des informations factuelles, des faits divers ; apolitique ;

– *Libération* : journal d'information plus à gauche que les autres, avec un lectorat un peu plus jeune.

• On fera répondre aux questions concernant les médias p. 142 (en classe entière ou en groupes).

La télé

• Après avoir observé les trois photos sur la télé et lu les phrases, on précisera que le mot *télévision* est très souvent abrégé en *télé*, à l'oral et à l'écrit. On trouve parfois à l'écrit le sigle *TV*. On insistera sur la préposition *à* : *J'ai vu une émission intéressante à la télé* (et non *sur la télé* ni *dans la télé*).

• On pourra montrer aux élèves des journaux de programmes télé français ou bien le programme à la fin d'un quotidien.

• Enfin, on interrogera les élèves sur ce qu'ils regardent aujourd'hui à la télévision... ou ce qu'ils regardaient lorsqu'ils étaient plus jeunes (emploi de l'imparfait).

• On indiquera que le mot *émission* s'emploie aussi bien pour la télé que pour la radio.

Et puis il y a Internet !

• L'expression familière *être accro à quelque chose* (abréviation d'*être accroché*) est souvent utilisée par les Français. On entend aussi parfois *être addict* à quelque chose.

• On fera un petit tour de table. Dans la classe, on enquêtera (à l'oral puis à l'écrit éventuellement) sur l'usage que font les élèves d'Internet :

– Pour quoi ils utilisent Internet (pour s'informer en général ? pour préparer leur travail scolaire ou universitaire ? pour communiquer avec leurs amis par e-mail, MSN ou Skype ? pour consulter leur Facebook ? pour faire des courses ? etc.)

– Ils y passent combien de temps par jour en moyenne ?

– Est-ce qu'ils utilisent Internet tous les jours ? Si oui, quand ? le soir ? avant de partir au travail ou à l'université ? pendant le travail ? Est-ce qu'ils peuvent s'en passer pendant les vacances ?

• Puis on proposera à chaque élève de faire le test p. 143 (tenir le compte précis du temps passé sur Internet et préciser les activités).

• On fera décrire la photo du couple. → Il s'agit d'un jeune homme et d'une jeune fille dans un café. Chacun est concentré sur son téléphone portable. Ils sont ensemble mais totalement séparés, chacun dans son monde.

• Faire écouter le document sonore, puis on répondra collectivement à la question 1.

a. Sophie dit : « Personne ne regarde personne, chacun est dans son petit monde. »

b. Quand elle était enfant, ses parents ne voulaient pas qu'elle regarde la télévision. Elle n'en a donc pas pris l'habitude.

c. Sophie ne veut pas être dépendante / esclave / prisonnière / « accro »... On expliquera les nuances entre ces différents termes.

• Enfin, la question 2 invite chaque élève à écrire quelques lignes argumentées : *Vous pourriez vivre déconnecté (e) ? Pourquoi ?*

Unité 6 Entraînement au DELF

Compréhension orale

1. La distinction entre le présent et l'imparfait à l'écoute est toujours difficile, quelle que soit l'origine des élèves.

On pourra compléter ce premier exercice avec un petit travail de discrimination sur ce point.

Le professeur dit assez rapidement dix phrases, les élèves doivent dire (ou noter sur un papier) *P* pour présent et *I* pour imparfait.

Exemples de phrases possibles (on peut prévoir le même nombre de phrases au présent et à l'imparfait pour les aider un peu).

- *Il habite à Tokyo.*
- *Il partait en vacances en Italie.*
- *Elle était très sympa.*
- *J'écoute souvent du jazz.*
- *Nous aimions beaucoup danser.*
- *Tu mets ta robe bleue ?*
- *Il sait nager.*
- *Je dois être à Lyon demain matin.*
- *On faisait les courses tous les samedis.*
- *Il mettait souvent un grand chapeau noir.*

2. a. On attirera l'attention des élèves sur la différence orthographique entre : *je mets, tu mets // il ou elle met* et *je peux, tu peux // il ou elle peut* (idem pour *je veux, tu veux // il ou elle veut*) en faisant remarquer qu'on entend exactement la même chose.

e. On rappellera l'accord : *il est tombé amoureux / elle est tombée amoureuse.*

Compréhension orale et interaction écrite

3. On veillera à ce que les élèves écoutent attentivement la consigne. Ils devront ensuite dans leur texte :

- accepter l'invitation pour deux → utilisation de *nous* ou de *on* (ou bien de *je... avec...*)

- poser une question sur l'heure de la fête → *À quelle heure... ?*

- poser une question sur un cadeau possible → *Qu'est-ce que ..... ?*

- remercier.

Grammaire

4. Il s'agit d'un simple exercice de conjugaison. Les élèves pourront le faire à deux, puis ils vérifieront leurs réponses dans le Précis grammatical (auto-correction).

5. On fera classer les verbes en deux catégories :

construction directe	construction indirecte
- regarder quelqu'un ou quelque chose - voir quelqu'un ou quelque chose - connaître quelqu'un ou quelque chose	- parler <u>à quelqu'un</u> - répondre <u>à quelqu'un</u> - proposer quelque chose <u>à quelqu'un</u> - demander quelque chose <u>à quelqu'un</u> - apporter quelque chose <u>à quelqu'un</u>

On pourra noter que dans tous les verbes de la deuxième catégorie, il y a une idée d'interaction, de contact entre deux personnes.

Compréhension écrite

6. On fera lire le premier fait divers *Toujours le mauvais temps !* puis découvrir les questions. Et on relira ensuite le fait divers avant de répondre. Lors de la correction collective, on incitera les élèves à justifier leurs réponses : quels indices ont-ils utilisés ?

Par exemple pour la question 1, le journal est daté lundi 24. Vendredi dernier, c'était donc le 21.

On procédera de la même façon pour le second fait divers, *Drame du divorce à Nantes.*

Pour déterminer la date du crime, on s'aidera de la date du journal : le 3 août. *Hier soir*, c'était donc le 2 août.

On rappellera les deux manières d'indiquer l'heure : 22 h ou dix heures du soir.

Expression écrite

7. L'exercice est difficile, même s'il vient en toute fin du manuel. Il faudra donner quelques mots de vocabulaire : *un gangster - une cagoule -* une arme...

On pourra s'interroger sur la provenance de la photo : certainement d'une caméra de surveillance.

Suggestion d'activité complémentaire

On peut prolonger cet exercice par un petit jeu de rôle : la police interroge un(e) employé(e) de la banque.

Il faudra bien entendu aider les élèves à préparer ce sketch.

Unité 6 Bilan actionnel

Voici venu le moment de récapituler non seulement les acquis de cette Unité mais aussi tout ce que les élèves ont appris tout au long de la méthode *Zénith 1*.

Ils doivent être conscients qu'ils savent désormais :

– **communiquer avec des natifs** pour leur poser des questions sur leur identité, sur leurs occupations, sur le temps et l'espace, sur les prix...

– **dire qui ils sont**, ce qu'ils font, ce qu'ils aiment, ce qu'ils désirent, bref, parler d'eux-mêmes ;

– **maîtriser les bases de la langue française**. Certes, il ne s'agit que de bases mais cette approche, très lente, et la reprise systématique des différents éléments (qui sont vus et revus à maintes reprises...) favorisent certainement leur ancrage solide ;

– **se faire confiance**. C'est là, à nos yeux, le plus important. Apprendre une nouvelle langue, surtout à l'âge adulte, est difficile mais pas impossible. Trop souvent, les apprenants « jettent l'éponge » après quelques séances, persuadés qu'ils n'y arriveront pas. C'est la raison pour laquelle nous avons beaucoup insisté sur les « petits mots » de la communication qui sont autant de mots-clés pour capter l'attention de l'interlocuteur.

Il faut inciter les élèves à oser confronter leur savoir-faire à la réalité : c'est en « testant » au fur et à mesure ce qu'ils viennent d'apprendre avec des francophones qu'ils constateront qu'on les comprend, même si leur niveau est encore modeste.

1. Qui d'autre que Sempé pouvait nous permettre de raconter un fait divers de la vie quotidienne, un petit événement ?

On demandera aux élèves de décrire les 5 moments de la journée au bord de la mer de cette famille. Ils devront employer le passé composé et l'imparfait dans cet exercice.

2. À travers cet exercice à faire en groupes, on travaillera sur les comparatifs d'infériorité (*moins* + adjectif + *que*), d'égalité (*aussi* + adjectif + *que*) et de supériorité (*plus* + adjectif + *que*).

3. Il s'agit d'une activité d'écoute autour d'un fait divers. On fera écouter deux fois le document avant de répondre aux questions.

Unité 1 – Test 1

Nom : .... Prénom : .... Date : ....

Vocabulaire

1. Trouvez 4 mots en lien avec le téléphone et l'e-mail. ◁ ...... / 2

AR _ _ _ SE   _ D R _ _ _ E   N _ _ E _ O   _ E L _ P _ _ N E

Grammaire

2. Complétez avec les pronoms personnels *je*, *tu*, *vous*. ◁ ...... / 4

a. .... suis suisse. .... travaille à Lausanne.

b. .... êtes étudiants.

c. .... es allemande ? .... habites à Düsseldorf ?

d. .... pouvez parler plus lentement ? .... pouvez épeler ?

e. Est-ce que .... as une adresse e-mail ?

3. Complétez le dialogue avec les verbes *être* et *avoir* au présent. ◁ ...... / 4

Jade et Emma .... à Berlin. Luka .... l'ami de Jade et de Léa, il est allemand et il habite à Berlin.

– Allô, Léa ? Bonjour, c'est Jade.

– Tiens, Jade ! Ça va ?

– Ça va, je .... avec Emma. Nous .... à Berlin. Est-ce que tu .... le numéro

de portable de Luka ?

– Ah oui, c'................... le 00 49 30 590 03 2077.

– Et est-ce qu'il .... une adresse e-mail ?

– Oui, c'................... luka007@gmx.de

– Merci !

– De rien !

4. Complétez et conjuguez au présent les verbes : *habiter, être, travailler, s'appeler, parler, connaître.* ◁ ...... / 6

a. J'................... à New York, je ....américain.

b. Elle s'................... Sybille Kohler et elle .... allemande.

c. Il .... professeur et il .... à l'université de Lyon.

d. Nous ....anglais et nous .... à Cardiff.

e. Elles .... étudiantes à Paris.

f. Tu .... David Beckham ? Il .... footballeur.

g. Vous .... le français et le japonais ?

Compréhension écrite

5. Lisez la présentation de Chloé Castel et répondez aux questions. ◁ ...... / 4

Bonjour, je m'appelle Chloé Castel. J'habite à Cannes, 15 rue d'Antibes.
Je suis française et je suis étudiante. Je parle anglais et un peu espagnol.
Mon adresse e-mail est chloe.castel@hotmail.fr

– Comment elle s'appelle ?

....

– Elle habite Paris ?

....

– Elle est française ?

....

– Elle est professeur ?

....

– Elle parle allemand ?

....

– Est-ce qu'elle a une adresse e-mail ?

....

Note finale : ◁ ...... / 20

Zénith 1 - © CLE International, 2012. Photocopie autorisée pour une classe seulement.

Unité 1 - Test 2

Nom : .... Prénom : .... Date : ....

Vocabulaire

1. Complétez les mots. ◁ ...... / 3
- **a.** un – E S – A – R – – T
- **b.** un P – – F – – S – – R
- **c.** un(e) T O – – – – T E

2. Barrez l'intrus. ◁ ...... / 2
- **a.** anglais – turc – japonais – suisse – français – sénégalais – étudiant – américain
- **b.** Genève – Suisse – Istanbul – Osaka – Nice – Paris – Dakar – Berlin

Grammaire

3. Complétez avec : *je – tu – il – elle – vous*. ◁ ...... / 5
- **a.** ...... connaissez le Canada ?
- **b.** ...... parles français ?
- **c.** ...... est américain ou canadien ?
- **d.** Excusez-moi, ... suis touriste.
- **e.** ...... s'appelle Jessie, ... est anglaise.

4. Mettez les phrases dans l'ordre. ◁ ...... / 2
- **a.** vous – rue – Balzac – Est-ce que – habitez – ?
- → ....
- **b.** suis – de – à – judo – Je – Paris – professeur
- → ....

Compréhension écrite

5. Mettez le dialogue dans l'ordre. ◁ ...... / 3
- **a.** – Merci, monsieur. Au revoir.
- **b.** – Voilà.
- **c.** – Bonjour, madame.
- **d.** – Très bien.
- **e.** – Et un gâteau aussi, s'il vous plaît.
- **f.** – Bonjour, monsieur. Une baguette, s'il vous plaît.
- **g.** – Au revoir, madame.
- → ....

Civilisation

6. Citez : ◁ ...... / 5
- **a.** trois pays européens :
- .... / .... / ....
- **b.** trois villes françaises :
- .... / .... / ....
- **c.** un musée à Paris :
- ....
- **d.** le nom d'un aéroport français :
- ....
- **e.** le nom d'un acteur ou d'une actrice de cinéma francais(e) :
- ....

Note finale : ◁ ...... / 20

Zénith 1 - © CLE International, 2012. Photocopie autorisée pour une classe seulement.

Unité 2 – Test 1

Nom : .... Prénom : .... Date : ....

Vocabulaire

1. Chassez l'intrus (le mot qui ne convient pas). ...... / 5
   a. moto - football - plage - gâteau
   b. vingt - douze - quarante-deux- une
   c. blond - vert- brun- roux
   d. téléphone - acteur- cinéma - film
   e. le – les – la – des

Grammaire

2. Conjuguez les verbes *aller* et *venir* au présent. ...... / 4
   a. Le dimanche, vous .... au cinéma ?- Oui et nous .... au restaurant.
   b. Vous .... avec moi ? J'ai une moto.
   c. Ils .... en vacances à Londres.
   d. Je .... avec vous au sport.

3. Mettez les phrases au pluriel. ...... / 4
   a. C'est une étudiante chinoise. → ....
   b. Louis a un cahier d'exercices. → ....
   c. L'acteur français dans le film *Intouchables*, il est célèbre ? → ....
   d. Le jeune professeur travaille beaucoup. → ....

4. Mettez les phrases à la forme négative avec *ne... pas.* ...... / 4
   a. J'aime les vacances à 510 euros. J'aime beaucoup la plage.

   ....

   b. Il y a trois films américains au cinéma. Ce sont d'excellents films.

   ....

   c. Le suspect a des cheveux longs et une barbe. Il habite dans la rue.

   ....

   d. Demain soir, nous allons au concert de Jay-Z. On se retrouve à 18 h 30.

   ....

Compréhension écrite

5. Voici la description d'Amélie Ducasse. Complétez avec les mots (verbes, noms, articles) manquants.

   Puis écrivez les questions. ...... / 3
   Elle .... Amélie Ducasse. Elle a 23 .... Elle va .... l'université de Bordeaux. Elle a .... amis allemands, espagnols et anglais. Ils .... au cinéma. Amélie aime le .... espagnol de Pedro Almodovar. Elle aime lire de la .... russe, la .... pop et aller danser le week-end.
   – .... ?
   – Amélie Ducasse.
   – .... ?
   – 23 ans.
   – .... ?
   – À Bordeaux.
   – .... ?
   – Le cinéma espagnol de Pedro Almodovar.
   – .... ?
   – La musique pop.
   – .... ?
   – Danser.

Note finale : ...... / 20

Zénith 1 - © CLE International, 2012. Photocopie autorisée pour une classe seulement.

Unité 2 - Test 2

Nom : .... Prénom : .... Date : ....

Vocabulaire

1. Faites deux groupes de sept mots. ..... / 2

la moto – le sport – le judo – l'opéra – le théâtre – le golf – un film – un concert – le tennis – le karaté –
la musique – le football – le cinéma – le jazz

    a. ....

    b. ....

Grammaire

2. Complétez avec *Qu'est-ce que... ?* ou *Est-ce que... ?* ..... / 5

    a. .... vous parlez un peu italien ?

    b. .... tu connais le cinéma belge ?

    c. .... tu aimes faire ?

    d. .... vous préférez ? Le cinéma ou le théâtre ?

    e. .... tu viens avec moi à l'université ?

3. Complétez avec : *à – avec – de – où – pour.* ..... / 3

    a. Tiens ! C'est un petit cadeau .... toi !

    b. On va voir un film .... Woody Allen.

    c. – Salut ! .... tu vas ?

       – ...... l'université. Tu viens .... moi ?

4. Complétez avec : *avoir – être – travailler – habiter – aller – venir – faire – aimer.* ..... / 5

    a. Qu'est-ce que vous .... ? Moi, je .... au cinéma. Il y .... un excellent film iranien !

    b. Marina .... vingt ans, elle .... française et elle .... à Nice. Elle .... danser, aller au cinéma.

    c. Elle .... les cheveux blonds, elle .... jolie. Elle ...... étudiante et elle .... dans un restaurant.

    d. Karim .... marocain, il .... photographe, il .... des photos magnifiques. Il .... célèbre au Maroc !

    e. – On .... au concert. Vous .... avec nous ?

       – Non, désolé ! Je .... à l'aéroport. Margaret arrive.

Civilisation

5. On parle français où ? Entourez les huit réponses. ..... / 4

le Sénégal – l'Inde – l'Islande – le Québec – la Belgique – l'Australie – la Tunisie – Haïti – la Suisse –
la Côte-d'Ivoire – le Cambodge – la France – la Turquie

6. Devinette. ..... / 1

C'est une ville française très célèbre. Il y a un festival de cinéma en mai.
Elle est au bord de la mer Méditerranée.
C'est ....

Zénith 1 – © CLE International, 2012 Photocopie autorisée pour une classe seulement.

Note finale : ..... / 20

Unité 3 - Test 1

Nom : .... Prénom : .... Date : ....

Vocabulaire

1. Complétez les recettes avec les ingrédients. ...... / 3

a. Pour faire une salade de fruits, il faut :
des an_ _ _s, des or_ _ _ s, des b_ _ _ _ _s, des k_ _ _s.
b. Pour faire un gâteau au chocolat, il faut :
du b_ _ _ _e, des œ_ _ _, de la _ _ _ _ne, du c_ _ _ _ _ _t.
c. Pour faire un plat avec de la viande et des légumes, il faut :
du g_ _ _t ou du p _ _ _ _t, des h_ _ _ _ _ _s v _ _ _s ou des f_ _ _ _s.

2. Corrigez les fautes dans la liste de courses. ...... / 3

– des litres de salade
– un kilo de café
– 3 boîtes de vin
– un gâteau au chocolat
– 2 kilos de croissants
– 5 paquets d'oranges

Grammaire

3. Complétez les phrases avec les verbes à l'impératif. ...... / 4

a. (*venir*) .... avec moi, monsieur Payet.
b. (*aller*) .... au cinéma ! Il y a le nouveau film de Ridley Scott.
c. (*manger*) .... ton gigot. Tu es maigre.
d. (*regarder*) .... : c'est Delphine et Raphaël. Vous les connaissez ?

4. Complétez le texte. ...... / 5

– Bonjour, madame, je suis ...., je .... aller à l'université Marcel-Proust. Je suis étudiante.
– Vous .... à pied ou vous .... le bus ?
– Euh, c'est loin ?
– La ville est petite. Si vous .... à pied, c'est 20 ....
– Oui.
– Allez tout .... en .... de la place Napoléon. Passez la banque, ... la première rue à droite puis la deuxième rue à gauche. À droite de la gare, ... la troisième rue sur le droite, allez tout droit et vous .... à l'université Marcel-Proust.
– Et .... bus ?
– .... le 36, c'est direct.

5. Complétez les phrases avec des moyens de transport. ...... / 5

a. Je vais à .... à l'université, c'est 30 minutes.
b. Pour aller au Brésil, je vais à l'aéroport prendre l'..................
c. On part voir les châteaux de la Loire, on prend la .... : les billets d'avion sont chers.
d. En ...., un Paris-Bordeaux c'est 3 heures. Il y a une voiture-bar pour prendre un café.
e. Je préfère prendre le ...., je vois la ville, les gens.

Note finale : ...... / 20

Zénith 1 - © CLE International, 2012. Photocopie autorisée pour une classe seulement.

Unité 3 - Test 2

Nom : .... Prénom : .... Date : ....

Vocabulaire

1. Donnez les noms de : ...... / 2
   a. trois fruits : .... – .... – ....
   b. deux légumes : .... – ....

2. Chassez l'intrus. ...... / 2
   a. du lait – une salade – du café – du chocolat – un gigot – une barbe – du poisson – de la viande
   b. cher – délicieux – seulement – superbe – facile – célèbre – libre – sympathique

3. Entourez les bonnes réponses. ...... / 1
   Pour faire un gâteau, il faut...
   du lait – du beurre – de la salade – de la farine – des oeufs – du poisson – du sucre – des frites – du chocolat

Grammaire

4. Mettez les phrases au pluriel. ...... / 3
   a. Elles achètent un ananas, une salade, un litre de lait. → ....
   b. C'est un grand château. → ....
   c. Le gâteau est délicieux. → ....

5. Choisissez : *un, une, des* ? *le, la, l', les* ? *du, de la* ? ...... / 4
   a. Je voudrais .... farine et ...... kilo de cerises.
   b. Vous aimez ...... jazz ? Il y a ...... concert magnifique. Vous venez ?
   c. Pour l'anniversaire de Marion, elle fait ...... gigot et ...... frites.
   d. Elle fait aussi ...... gâteau au chocolat et ...... grande salade de fruits.
   e. Achète ...... sucre et ...... café, s'il te plaît !

6. Répondez en mettant le verbe à l'impératif. ...... / 4
   a. – Je voudrais aller à Montmartre, s'il vous plaît.
   – Facile ! (*prendre*) .... le bus 85, c'est direct !
   b. – On va où pour les vacances ?
   – (*aller*) .... à Nice !
   c. – Je voudrais venir avec toi, c'est possible ?
   – Mais oui, (*venir*) .... avec moi !
   d. – Qu'est-ce qu'on peut faire pour le 31 décembre ?
   – (*faire*) .... une folie, (*aller*) .... au Ritz !

Civilisation

7. Vrai ou Faux ? ...... / 4
   a. L'arc de Triomphe n'est pas loin des Champs-Élysées.
   ❏ Vrai ❏ Faux
   b. À Strasbourg on mange de la bouillabaisse.
   ❏ Vrai ❏ Faux
   c. Disneyland est à Paris.
   ❏ Vrai ❏ Faux
   d. Le château de Chenonceau est près de la Loire.
   ❏ Vrai ❏ Faux
   e. Le week-end = samedi + dimanche.
   ❏ Vrai ❏ Faux

Zénith 1 - © CLE International, 2012. Photocopie autorisée pour une classe seulement.

Note finale : ...... / 20

Unité 4 - Test 1

Nom : .... Prénom : .... Date : ....

Vocabulaire

1. Il est quelle heure ? Écrivez en toutes lettres l'heure officielle puis l'heure familière. ◁ ...... / 6

	Heure officielle	**Heure familière**
6 h 45		
10 h 15		
12 h 20		
15 h 30		
20 h 40		

Grammaire

2. Mettez les mots dans l'ordre. Attention à la place de l'adjectif ! ◁ ...... / 3

a. une – Malick – anglaise – a – beau – copine – Le

→ ....

b. de – boulangerie – a – près – Il – française – tout – y – une – moi – chez – y

→ ....

c. blanche – chinois – Des – dans – étudiants – habitent – la – maison

→ ....

3. Complétez avec des verbes au passé composé. ◁ ...... / 5

a. Hier, j'ai........................ toute la journée. J'ai .... une longue journée.
Le soir, j'ai ....à 22 h.

b. Ma sœur et son mari ont .... longtemps à Hong-Kong.

c. Le week-end dernier, j'ai .... mes copains espagnols. On a .... une superbe soirée !
On a .... des années Erasmus, on a .... des tapas, une paella,
on a .... de la musique.

Compréhension écrite

4. Complétez le dialogue. ◁ ...... / 6

Elsa : Bonjour, Sonia, comment ....-tu ? Comment .... les enfants ?

Sonia : Bonjour, Elsa, ... le monde va bien merci. Et .... ? .... enfants vont bien ?

Elsa : Oui, tout va bien. Tu as du .... la semaine prochaine pour un déjeuner ?

Sonia : .... dépend, ... jour ?

Elsa : Pourquoi pas samedi prochain, à .... h ?

Sonia : Désolée, j'ai cours de yoga mais, après 13 h, on peut se .... au café ?

Elsa : D'accord. Bonne ...., on pourra bavarder entre filles. À samedi !

Sonia : Oui super, ... samedi ! .... !

Note finale : ◁ ...... / 20

Zénith 1 - © CLE International, 2012. Photocopie autorisée pour une classe seulement.

Unité 4 - Test 2

Nom : .... Prénom : .... Date : ....

Vocabulaire

1. Écrivez l'heure de manière familière comme dans l'exemple. `...... / 5`

Exemple : *13 h 30 →* une heure et demie

a. 13 h 45 → ....

b. 24 h 00 → ....

c. 12 h 15 → ....

d. 15 h 30 → ....

e. 18 h 05 → ....

f. 19 h 40 → ....

2. Chassez l'intrus. `...... / 2`

a. la philosophie - la physique - le voyage - la chimie - les maths - l'histoire - les sciences

b. le copain - les parents - les enfants - un fils - une fille - le père - la mère - la sœur - le frère

3. Attention ! Qui est... ? `...... / 2`

a. la mère de mon père → ma ....

b. le mari de la mère de mon père → mon ....

Grammaire

4. Complétez avec des adjectifs possessifs. `...... / 3`

a. - C'est ...... sœur, là, sur la photo ?

- Non, c'est ...... amie Diana.

b. - Qui est-ce ? Ce sont ...... parents ?

- Oui, c'est ...... père et ...... mère en 2010.

c. - Qui est la jolie femme blonde avec Pierre ? C'est ...... femme ?

- Non, toute ...... famille est en vacances : ...... femme et ...... enfants.

5. Complétez avec un mot interrogatif : *Quand... - Quel(le)... - Qu'est-ce que... - Est-ce que... - Comment.* `...... / 3`

a. - .... ça va ? .... tu fais pendant le week-end ? Moi, je vais voir les châteaux de la Loire.

b. - .... tu pars en train ou en voiture ? Tu pars .... ? Samedi ?

c. - Non, nous partons en train vendredi soir.

- Ah bon, à .... heure ?

6. Donnez : `...... / 2`

a. l'impératif singulier de :

se réveiller : .... / *se dépêcher* : ....

b. l'imperatif à la 2ᵉ personne du pluriel de :

s'habiller : .... / *se doucher* : ....

Civilisation

7. Vrai ou Faux ? `...... / 3`

a. Genève est la capitale de la Suisse.

❑ Vrai ❑ Faux

b. Eva Green et Tony Parker sont anglais.

❑ Vrai ❑ Faux

c. Il y a des concerts au Stade de France.

❑ Vrai ❑ Faux

d. En général, les femmes françaises se marient en noir.

❑ Vrai ❑ Faux

e. La ville de Liège est en Belgique.

❑ Vrai ❑ Faux

f. Il y a peu de divorces en France.

❑ Vrai ❑ Faux

Note finale : `...... / 20`

Zénith 1 - © CLE International, 2012 Photocopie autorisée pour une classe seulement.

Unité 5 - Test 1

Nom : .... Prénom : .... Date : ....

Vocabulaire

1. Reliez les mots pour faire cinq phrases. `...... / 5`

• Tous les jours,	• mes amis	• sommes partis	• le métro	• Ils ont trouvé du travail.
• Comme d'habitude,	• tu	• a pris	• à la mer.	• Il a plu pendant deux semaines.
• Le mois dernier,	• il	• suis allée	• un travail.	• Quelle chance tu as !
• Pendant quatre ans,	• nous	• as trouvé	• au Mexique.	• Je suis toute bronzée
• Après l'université,	• je	• sont rentrés	• en Bretagne.	• Aujourd'hui, il prend sa voiture.

Grammaire

2. Conjuguez les verbes au passé composé. Attention à l'accord du participe passé avec *être*. `...... / 6`

a. Marie et Laure .... (*partir*) en Corse pour les vacances. Elles .... (*se coucher*) tous les soirs à 2 heures du matin, ... (*se réveiller*) tous les matins à midi.

b. – Madame Caillé, l'année dernière, est-ce que vous .... (*aller*) en Belgique ?
– Non, je ne .... pas (*aller*) .... en Belgique, je .... (*partir*) au Luxembourg.

c. – Qu'est-ce que vous .... (*faire*) hier, Jeanne et toi ?
– À 11 heures, nous .... (*aller*) au club de gym. Puis on .... (*déjeuner*) au café. Ensuite, nous .... (*rencontrer*) nos amis de l'université. Le soir, nous .... (*aller*) dans un club sympa et nous .... (*s'amuser*) toute la nuit. Je .... (*rentrer*) chez moi à 4 h du matin. Ma mère m'..................... (*dire*) : « Mon chéri, tu quittes quand la maison ? ».

3. Complétez avec les verbes au passé composé. `...... / 5`

Je m'appelle Sonja Fisher, je suis allemande, je .... née à Bergen. Je .... allée à Toulouse où j'................ étudié à l'université pendant cinq ans. J'.............. fait un master de littérature française. J'............ appris beaucoup sur la culture française, j'............ aussi rencontré des amis français avec qui je .... beaucoup sortie dans les musées, dans les cafés. Un jour, j'................ trouvé une offre de travail sur Internet. J'.................. eu le poste d'assistante pour la chambre de commerce allemande et je .... partie vivre à Paris. Aujourd'hui, j'habite toujours à Paris.

Compréhension écrite `...... / 4`

4. Mettez dans l'ordre la biographie de Christian Louboutin, créateur de chaussures de luxe.

a. Deux ans après, il a ouvert sa première boutique aux États-Unis, à New York.

b. En 2012, la vente des chaussures avec une semelle rouge est devenue la marque de Christian Louboutin.

c. À 16 ans, il a arrêté ses études et a fait sa première paire de chaussures.

d. En 1988, il est devenu l'assistant de Roger Vivier.

e. Christian Louboutin est né le 7 janvier 1964 à Paris.

f. En 1982, il a quitté Paris pour étudier avec Charles Jourdan.

g. En 1991, il a ouvert sa première boutique à Paris, en France. Il a vendu 300 paires de chaussures la première année.

h. En 2011, il a vendu 700 000 paires de chaussures.

→ ....

Note finale : `...... / 20`

Zénith 1 - © CLE International, 2012. Photocopie autorisée pour une classe seulement.

Unité 5 – Test 2

Nom : .... Prénom : .... Date : ....

Grammaire

1. Donnez le participe passé des verbes. ...... / 4

    a. *faire* → j'ai ....
    b. *rencontrer* → j'ai ....
    c. *voir* → j'ai ....
    d. *voyager* → j'ai ....
    e. *vivre* → j'ai ....
    f. *dormir* → j'ai ....
    g. *être* → j'ai ....
    h. *avoir* → j'ai ....

2. Mettez les phrases au passé composé. ...... / 3

    a. Aujourd'hui, je travaille et je fais le ménage.
    → Hier, ...
    b. Je déjeune avec Mélanie, nous bavardons.
    → Samedi dernier, ...
    c. Léo, tu vas au cinéma ou tu restes à la maison ?
    → Léo, hier soir, ... ?
    d. Il fait beau tous les jours. Miguel et moi, nous nous baignons toute la journée.
    → Au mois d'août ....
    e. – Elle va à Bruxelles pour ses études ?
    – Non, elle fait sa première année d'université, à Lille.
    → ....
    f. Lucie et Marine passent leur dernier examen en juin. Après, elles partent en Grèce deux semaines.
    → ....

3. Complétez avec : *à – au – aux – en*. ...... / 3

    C'est un grand voyageur et il adore l'Asie ! L'année dernière, il est allé ...... Chine, ... Japon, ... Corée,
    ...... Singapour et ...... Hongkong. Et l'année prochaine, il veut aller ...... Philippines, ... Cambodge
    et ...... Inde.

4. Attention ! C'est vrai ou c'est faux ? ...... / 5

    a. Devant un nom féminin qui commence par une voyelle, on ne dit pas *ma, ta, sa*... mais *mon, ton, son*...
    Vrai ❏ Faux ❏
    b. Les adjectifs *premier, deuxième, troisième*... sont toujours avant le nom.
    c. Tous les noms de pays terminés par *-e* sont féminins.
    Vrai ❏ Faux ❏
    d. *Chez* est toujours suivi d'un nom de lieu ou de personne.
    Vrai ❏ Faux ❏
    e. On dit *en été, en hiver, en automne* mais *au printemps*.
    Vrai ❏ Faux ❏
    f. Les habitants de Belgique sont les Belgicains.
    Vrai ❏ Faux ❏

Civilisation

5. Entourez la bonne réponse. ...... / 5

    a. Brest est :   une ville de Bretagne   une ville d'Alsace
    b. Comment s'appelle le célèbre tableau de Picasso ?   *Guernica*   *Guerre et Paix*
    c. Serge Gainsbourg a chanté :   *Je ne t'aime plus*   *Je t'aime... moi non plus*
    d. Jean-Paul Sartre a écrit un livre :   *Les Choses*   *Les Mots*
    e. Avec le programme Erasmus on peut aller étudier   en Espagne   en Chine

Note finale : ...... / 20

Zénith 1 - © CLE International, 2012. Photocopie autorisée pour une classe seulement.

Unité 6 - Test 1

Nom : .... Prénom : .... Date : ....

Vocabulaire

1. Écrivez des phrases. Il faut utiliser *plus... que, aussi... que , moins... que.* ⊲[...... / 2]

    a. la ville de New York / la ville de Londres

....

    b. la musique pop / la musique RnB

....

    c. le café/ le thé

....

    d. le travail / le sport

....

Grammaire

2. Complétez avec *savoir, devoir, pouvoir* au présent. ⊲[...... / 5]

    a. Est-ce que tu .... (*savoir*) parler chinois ?

    b. Est-ce que Léa .... (*pouvoir*) faire un gâteau pour le déjeuner dimanche ?

    c. Est-ce que vous .... (*savoir*) comment aller à Nantes en voiture ?

    d. Je ne .... (*pouvoir*) pas venir ce week-end, je .... (*devoir*) partir demain dans le sud de la France.

    e. Est-ce que vous .... (*savoir*) tous faire du vélo ? Et les enfants ?

    f. Est-ce que je .... (*devoir*) travailler tous les jours mon français pour réussir mon examen ?

    g. C'est les 80 ans de Mamie le mois prochain. Nous .... (*devoir*) tous nous retrouver au restaurant pour fêter ça !

3. Mettez les phrases à l'imparfait. ⊲[...... / 4]

    a. J'ai 23 ans, j'ai les cheveux noirs. J'aime danser et parler avec mes copines.

    → ....

    b. Thomas se réveille tous les samedis à 9 h. Puis il part faire les courses avec sa femme.

    → ....

    c. Ses copines l'appellent au téléphone ou lui envoient des e-mails. Ce n'est pas facile pour Emma de travailler.

    → ....

    d. Au bureau, il y a des gens de nationalité différente. Nous parlons tous une langue étrangère, nous voyageons beaucoup à l'étranger.

    → ....

4. Complétez avec les verbes à l'imparfait ou au passé composé. ⊲[...... / 4]

    a. Avant, Olivier .... (*manger*) tous les jours des sandwichs. Et un jour, il .... (*commencer*) à faire la cuisine.

    b. Nous .... (*partir*) tous les ans en vacances chez mes parents. Mais cet été, je ....(*avoir*) un accident de vélo, nous .... (*devoir*) rester chez nous. Et nous .... (*adorer*) !

    c. Avant à 16 ans, Isabella .... (*s'habiller*) tout le temps en noir. Depuis qu'elle travaille dans la communication, elle .... (*changer*).

Compréhension écrite ⊲[...... / 5]

5. Mettez dans l'ordre le faits divers.

    a. L'école était fermée hier, on a dû nettoyer les salles.

    b. Ils avaient bu beaucoup d'alcool et ne trouvaient plus leur hôtel.

    c. Hier matin, à Basse-Terre, à 7 h, la police est venue à l'école des Petits.

    d. Elle a pensé qu'il y avait des voleurs et a tout de suite appelé la police.

    e. Dix-sept touristes anglais sont entrés dans l'école en pleine nuit et ont dormi dans l'école.

    f. La directrice de l'école a trouvé l'école ouverte à 6 h 30.

    → ....

Note finale : ⊲[...... / 20]

Zénith 1 - © CLE International, 2012. Photocopie autorisée pour une classe seulement.

Unité 6 - Test 2

Nom : .... Prénom : .... Date : ....

Vocabulaire ◁······ / 4

1. Complétez les phrases avec les mots : *timide – vétérinaire – amoureux – muet*
   a. Un .... est le médecin des animaux.
   b. *The Artist* est un film ....
   c. Il l'a vue et il est tout de suite tombé ....
   d. Elle n'a pas pu lui parler car elle est ....

Grammaire

2. Donnez l'imparfait des verbes. ◁······ / 5
   a. *aller* → nous .... / elles ....
   b. *devoir* → tu .... / on ....
   c. *pouvoir* → je .... / vous ....
   d. *écrire* → elle .... / nous ....
   e. *travailler* → il .... / vous ....

3. Imparfait ou passé composé ? Entourez la forme correcte. ◁······ / 5
   a. Avant, j'*allais* / je *suis allé* à la fac à pied. Mais il y a deux mois, j'*achetais* / j'*ai acheté* une voiture. Maintenant, ça va, c'est plus facile !
   b. Hier, j'*allais* / je *suis allé* voir Lisa. Je *prenais* / j'*ai pris* le train de 18 h 15.
   c. Avant, Caroline *fumait* / *a fumé* beaucoup mais depuis qu'elle attend un bébé, elle *arrêtait* / *a arrêté*.
   d. Hier soir, nous *allions* / *sommes allés* au théâtre. La pièce *était* / *a été* très bien.
   e. J'*allais* / je *suis allé* en Suisse une seule fois, en 2009. Je *restais* / je *suis resté* une semaine à Lausanne.

4. Complétez avec *le, la, l', les / lui, leur*. ◁······ / 3
   – Tu connais le nouveau copain de Laurie ?
   – Un peu, je ...... ai rencontré une fois avec elle.
   – Il est comment ? Sympa ?
   – Je ne sais pas. Je ne ...... ai pas parlé. Ils étaient dans la rue. Je ...... ai vus cinq minutes. Mais Laurie ...... trouve très bien ! Elle ...... adore !

Civilisation

5. Vrai ou faux ? ◁······ / 3
   a. Autrefois les femmes s'habillaient de façon plus classique.
      Vrai ❑ Faux ❑
   b. En 1960 il y a eu une énorme inondation dans le sud de la France.
      Vrai ❑ Faux ❑
   c. Les Français regardent très peu la télé.
      Vrai ❑ Faux ❑
   d. Yannick Noah est un joueur de football célèbre.
      Vrai ❑ Faux ❑
   e. Le Petit Chaperon rouge mange le loup.
      Vrai ❑ Faux ❑
   f. *Le Figaro* est un journal quotidien français.
      Vrai ❑ Faux ❑

Note finale : ◁······ / 20

Zénith 1 - © CLE International, 2012. Photocopie autorisée pour une classe seulement.

Corrigés des tests d'évaluation

Unité 1 Test 1
Vocabulaire
1. arobase – adresse – numéro – téléphone.
Grammaire
2. a. je – je. **b.** vous. **c.** tu – tu. **d.** vous – vous. **e.** tu.
3. sont – est – suis – sommes –as – est – a – est.
4. a. habite – suis. – **b.** appelle – est. **c.** est – travaille. **d.** sommes – habitons (ou travaillons). **e.** sont. **f.** connais – est. **g.** parlez.
Compréhension écrite
5. Elle s'appelle Chloé Castel. – Oui, elle habite à Paris. – Oui, elle est française. – Non, elle est étudiante. – Non, elle parle anglais et un peu espagnol. – Oui, c'est chloe.castel@hotmail.fr.

Unité 1 Test 2
Vocabulaire
1. a. restaurant. **b.** professeur. **c.** touriste.
2. a. étudiant (ce n'est pas une nationalité).
b. Suisse (ce n'est pas une ville).
Grammaire
3. a. vous. **b.** tu. **c.** il. **d.** je. **e.** elle.
4. a. Est-ce que vous habitez rue Balzac ? **b.** Je suis professeur de judo à Paris.
Compréhension écrite
5. c – f – b – e – d – a – g.
Civilisation
6. Exemples : **a.** l'Espagne, la Belgique, l'Allemagne. **b.** Bordeaux, Nice, Lille. **c.** le musée du Louvre, le musée d'Orsay. **d.** Roissy– Charles-de-Gaulle, Orly. **e.** Jean Dujardin, Omar Sy, Marion Cotillard, Eva Green.

Unité 2 Test 1
Vocabulaire
1. a. gâteau (ce n'est pas un loisir). **b.** une (ce n'est pas un nombre). **c.** vert (ce n'est pas une couleur – naturelle - de cheveux). **d.** téléphone (ce n'est pas un mot de la famille de *cinéma*). **e.** des (ce n'est pas un article défini).
Grammaire
2. a. allez – allons. **b.** venez. **c.** vont. **d.** vais.
3. a. Ces sont des étudiantes chinoises. **b.** Louis a des cahiers d'exercices. **c.** Les acteurs français dans le film *Intouchables*, ils sont célèbres ? **d.** Les jeunes professeurs travaillent beaucoup.
4. a. Je n'aime pas les vacances à 510 euros. Je n'aime pas beaucoup la plage. **b.** Il n'y a pas trois films américains au cinéma. Ce ne sont pas d'excellents films. **c.** Le suspect n'a pas les cheveux longs et une barbe (les élèves n'ont pas encore vu *ni*). Il n'habite pas dans la rue. **d.** Demain soir, nous n'allons pas au concert de Jay-Z. On ne se retrouve pas à 18 h 30.
Compréhension écrite
5. s'appelle – ans – à – des – vont – cinéma – littérature – musique.
Comment elle s'appelle ? – Elle a quel âge ? – Elle habite où ? (ou Elle va à quelle université ?) – Qu'est-ce qu'elle aime ? (ou Quel cinéma elle aime ?) – Qu'est-ce qu'elle aime faire le week-end ?

Unité 2 Test 2
Vocabulaire
1. a. (le sport) la moto – le sport – le judo – le golf – le tennis – le karaté – le football. **b.** (la culture) l'opéra – le théâtre – un film – un concert – la musique – le cinéma – le jazz.
Grammaire
2. a. Est-ce que. **b.** Est-ce que. **c.** Qu'est-ce que. **d.** Qu'est-ce que. **e.** Est-ce que.
3. a. pour. **b.** de. **c.** où – à – avec.
4. a. faites – vais – a. **b.** a – est – habite – aime. **c.** a – est – travaille. **d.** est – est – fait – est. **e.** va – venez – vais.
Civilisation
5. le Sénégal – le Québec – la Belgique –la Tunisie – Haïti – la Suisse – la Côte-d'Ivoire – la France.
6. Cannes.

Unité 3 Test 1
Vocabulaire
1. a. ananas – oranges – bananes – kiwis.
b. beurre – œufs – farine – chocolat. **c.** gigot – poulet – haricots verts – frites.
2. une salade – un paquet de café – 3 bouteilles de vin – 2 croissants et non 2 kilos de croissants (sauf si on est très gourmand !) – 5 kilos d'oranges.
Grammaire
3. a. venez. **b.** allons. **c.** mange. **d.** regardez.
4. touriste – voudrais – allez (ou êtes) – prenez – allez – minutes – droit – face – prenez – prenez – arrivez – en – avec.
5. a. pied. **b.** avion. **c.** voiture. **d.** train. **e.** bus.

Unité 3 Test 2
Vocabulaire
1. Exemples : **a.** ananas – kiwi – banane. **b.** haricots verts – pomme de terre
2. a. une barbe (ce n'est pas un mot de la famille d'*alimentation*). **b.** seulement (ce n'est pas un adjectif).
3. du lait – du beurre – de la farine – des œufs – du sucre – du chocolat.
Grammaire
4. a. Elles achètent des ananas, des salades, des litres de lait. **b.** Ce sont de grands châteaux. **c.** Les gâteaux sont délicieux.
5. a. de la – un. **b.** le – un. **c.** un – des. **d.** un – une. **e.** du – du.
6. a. prenez. **b.** allons. **c.** viens. **d.** faisons – allons.
Civilisation
7. a. Vrai. **b.** Faux. **c.** Faux. Disneyland Paris est à Marne-la-Vallée. **d.** Vrai. **e.** Vrai.

Unité 4 Test 1
Vocabulaire
1.

	Heure officielle	Heure familière
6 h 45	six heures quarante-cinq	sept heures moins le quart (du matin)
10 h 15	dix heures quinze	dix heures et quart (du matin)
12 h 20	douze heures vingt	midi vingt
15 h 30	quinze heures trente	trois heures et demie (de l'après midi)
20 h 40	vingt heures quarante	neuf heures moins vingt (du soir)

Grammaire
2. a. Le beau Malick a une copine anglaise. **b.** Il y a une boulangerie française tout près de chez moi. **c.** Des étudiants chinois habitent dans la maison blanche.
3. a. travaillé – eu – dîné (ou mangé). **b.** vécu (ou habité). **c.** vu – passé – parlé – mangé – écouté.
Compréhension écrite
4. vas – vont – tout – toi – tes – temps – ça – quel – 12 – retrouver (ou donner rendez-vous) – idée – à – au revoir.

Unité 4 Test 2
Vocabulaire
1. a. deux heures moins le quart (de l'après-midi). **b.** minuit. **c.** midi et quart. **d.** trois heures et demie (de l'après-midi). **e.** six heures cinq (du soir). **f.** huit heures moins vingt (du soir).
2. a. le voyage (ce n'est pas une matière ou discipline). **b.** le copain (ce n'est pas un membre de la famille).
3. a. ma grand-mère. **b.** mon grand-père.
Grammaire
4. a. ta – mon. **b.** tes (ou vos) – mon – ma. **c.** sa – sa – sa – ses.
5. a. Comment – Qu'est-ce. **b.** Est-ce que – quand. **c.** Quelle.
6. a. Réveille-toi – Dépêche-toi. **b.** Habillez-vous – Douchez-vous.
Civilisation
7. a. Faux (Berne est la capitale de la Suisse). **b.** Faux (ils sont français). **c.** Vrai. **d.** Faux (en général, elles se marient en blanc). **e.** Faux.

Unité 5 Test 1
Vocabulaire
1. a. Tous le jours, je suis allée à la mer, je suis toute bronzée. **b.** Comme d'habitude, nous sommes partis en Bretagne. Il a plu pendant deux semaines. **c.** Le mois dernier, mes amis sont rentrés au Mexique. Ils ont trouvé du travail. **d.** Pendant quatre ans, il a pris le métro. Aujourd'hui, il prend sa voiture. **e.** Après l'université, tu as trouvé un travail. Quelle chance tu as !
Grammaire
2. a. sont parties – se sont couchées – se sont réveillées. **b.** allée – suis pas allée – suis partie. **c.** avez fait – sommes allés – a déjeuné – avons rencontré – sommes allés – sommes amusés – suis rentré – a dit.
3. suis – suis – ai – ai – ai – ai – suis – ai – ai –suis.
Compréhension écrite
4. e – c – f – d – a – g – h – b.

Unité 5 Test 2
Grammaire
1. a. fait. **b.** rencontré. **c.** vu. **d.** voyagé. **e.** vécu. **f.** dormi. **g.** été. **h.** eu.
2. a. Hier, j'ai travaillé et j'ai fait le ménage. **b.** Samedi dernier, j'ai déjeuné avec Mélanie, nous avons bavardé. **c.** Léo, hier soir, tu es allé au cinéma ou tu es resté à la maison ? **d.** Au mois d'août, il a fait beau tous les jours. Miguel et moi, nous nous sommes baigné(e)s toute la journée. **e.** – Elle est allée à Bruxelles pour ses études ? – Non, elle a fait sa première année d'université, à Lille. **f.** Lucie et Marine ont passé leur dernier examen en juin. Après, elles sont parties en Grèce deux semaines.
3. en – au – en – à – à – aux – au – en.
4. a. Vrai . **b.** Vrai.**c.** Faux. **d.** Faux (*chez* est toujours suivi d'un nom de personne ou d'un pronom tonique). **e.** Vrai. **f.** Faux (ce sont les Belges).
Civilisation
5. a. une ville de Bretagne. **b.** *Guernica*. **c.** *Je t'aime... moi non plus*. **d.** *Les Mots*. **e.** en Espagne.

Unité 6 Test 1
Vocabulaire
1. Exemples : **a.** La ville de New York est plus grande que la ville de Londres. **b.** La musique pop est aussi excellente que la musique RnB. **c.** Le café est plus fort que le thé vert. **d.** Aller au travail, c'est moins fatigant que faire du sport.
Grammaire
2. a. sais. **b.** peut. **c.** savez. **d.** peux – dois. **e.** savez. **f.** dois. **g.** devons.
3. a. J'avais 23 ans, j'avais les cheveux noirs. J'aimais danser et parler avec mes copines. **b.** Thomas se réveillait tous les samedis à 9 h. Puis il partait faire les courses avec sa femme. **c.** Ses copines l'appelaient au téléphone ou lui envoyaient des e-mails. Ce n'était pas facile pour Emma de travailler. **d.** Au bureau, il y avait des gens de nationalité différente. Nous parlions tous une langue étrangère, nous voyagions beaucoup à l'étranger.
4. a. mangeait – a commencé. **b.** partions – ai eu – avons dû – avons adoré. **c.** s'habillait – a changé.
Compréhension écrite
5. c – e – b – f – d – a.

Unité 6 Test 2
Vocabulaire
1. a. vétérinaire. **b.** muet. **c.** amoureux. **d.** timide.
Grammaire
2. a. allions – allaient. **b.** devais – devait. **c.** pouvais – pouvions. **d.** écrivait – écrivions. **e.** relisais – travailliez.
3. a. j'allais – j'ai acheté. **b.** je suis allé – j'ai pris le train. **c.** fumait – a arrêté. **d.** sommes allés – était. **e.** je suis allé – je suis resté.
4. l'ai – lui – les – le – l'.
Civilisation
5. a. Vrai. **b.** Faux (c'était en 1930). **c.** Faux. **d.** Faux (c'était un joueur de tennis célèbre). **e.** Faux. **f.** Vrai.